NIVEAU B1+

SICHER!

DEUTSCH ALS FREMDSPRACHE
ARBEITSBUCH

Jutta Orth-Chambah
Michaela Perlmann-Balme
Susanne Schwalb

D1211126

Hueber Verlag

𝔊 Ⓒ 6

Dieses Symbol verweist auf einen Hörtext auf der eingelegten Arbeitsbuch-CD (CD 1), hier auf Track 6.

zu Sehen und Hören 1, S. 52, Ü1

Solch ein Hinweis verweist auf die dazugehörige Übung/Aufgabe im Kursbuch,
hier auf die Seite Sehen und Hören 1, Seite 52, Übung 1.

🖥 ÜBUNG 2, 3

Dieses Symbol verweist auf wiederholende oder vertiefende interaktive Übungen im Internet unter
www.hueber.de/sicher/lernen.
Die Übungen decken die Kategorien Wortschatz, Grammatik und Kommunikation ab, vertiefende Übungen
sind mit einem „V" markiert.

Unter www.hueber.de/sicher/lernen finden Sie die Lösungen zu den Übungen im Arbeitsbuch.

Der Verlag weist ausdrücklich darauf hin, dass im Text
enthaltene externe Links vom Verlag nur bis zum Zeitpunkt
der Buchveröffentlichung eingesehen werden konnten.
Auf spätere Veränderungen hat der Verlag keinerlei Einfluss.
Eine Haftung des Verlags ist daher ausgeschlossen.

Das Werk und seine Teile sind urheberrechtlich geschützt.
Jede Verwertung in anderen als den gesetzlich zugelassenen Fällen
bedarf deshalb der vorherigen schriftlichen Einwilligung des Verlags.

Eingetragene Warenzeichen oder Marken sind Eigentum des
jeweiligen Zeichen- bzw. Markeninhabers, auch dann, wenn diese
nicht gekennzeichnet sind. Es ist jedoch zu beachten, dass weder
das Vorhandensein noch das Fehlen derartiger Kennzeichnungen die
Rechtslage hinsichtlich dieser gewerblichen Schutzrechte berührt.

7.	6.	5.		Die letzten Ziffern
2023	22	21	20 19	bezeichnen Zahl und Jahr des Druckes.

Alle Drucke dieser Auflage können, da unverändert,
nebeneinander benutzt werden.
1. Auflage
© 2012 Hueber Verlag GmbH & Co. KG, 85737 Ismaning, Deutschland
Umschlaggestaltung, Layout und Satz: Sieveking · Agentur für Kommunikation, München
Redaktion: Isabel Krämer-Kienle; Karin Ritter; Juliane Wolpert, Hueber Verlag, Ismaning
Interaktive Übungen: Sabine Dinsel, München
Druck und Bindung: Passavia Druckservice GmbH & Co. KG, Passau
Printed in Germany
ISBN 978–3–19–011206–7

Art. 530_17343_001_05

INHALT

INHALT

INHALT

INHALT

1 Nachfragen

Sie verstehen etwas nicht. Was können Sie sagen?
Ergänzen Sie in der richtigen Form.

> sprechen · ~~verstehen~~ · hören ·
> wiederholen · bedeuten · kennen ·
> erklären · schreiben

1 Das Wort habe ich nicht _verstanden_ .
Wie _____ man das?
Können Sie das noch einmal
_____ ?

2 Das Wort _____ ich leider nicht. Ich habe es noch nie _____ .
Was _____ das?

3 Ich weiß nicht, was ich hier in der Aufgabe machen soll. Können Sie mir die Aufgabe
_____ ?

4 Könnten Sie etwas langsamer _____ ?

2 Was macht man alles im Deutschunterricht?

a Ergänzen Sie.

1	_Tabellen_ (EBATLLNE) ausfüllen	6	_____	(REGESPCHÄ) hören
2	_____ (EEDIRL) singen	7	_____	(UNGNEÜB) machen
3	_____ (MLFEI) im Original ansehen	8	_____	(EISPEL) machen
4	_____ (XETET) lesen/schreiben	9	_____	(ÖRWERT) lernen
5	_____ (EAILSM-) schreiben	10	_____	(EGRELN) lernen

b Wie heißen die Wörter im Singular? Ergänzen Sie und notieren Sie auch den Artikel.

maskulin	neutral	feminin
		Tabellen – die Tabelle

---

zur Einstiegsseite, S. 9, Ü1

3 Ein Brief an mich

SCHREIBEN

Schreiben Sie zu Kursbeginn einen Brief auf Deutsch an sich
selbst. Sie können z. B. schreiben, was Sie in den nächsten
Wochen alles tun wollen, was Sie sich für den Kurs
wünschen, … Kleben Sie den Brief zu und geben Sie
ihn Ihrer Kursleiterin / Ihrem Kursleiter. Am Ende
des Kurses gibt sie/er Ihnen den Brief ungeöffnet
zurück. Sie werden staunen, wie viel Sie bereits
gelernt haben, und Ihre Erfolge erkennen.

LEKTION 1

zu Hören, S. 10, Ü3

4 Temporaladverbien: zeitliche Reihenfolge und Wiederholung 🖳 ÜBUNG 1, 2

a Stellen Sie sich vor: Sie melden sich in einem sozialen Netzwerk an. Was müssen Sie tun? Bringen Sie die Schritte in die richtige Reihenfolge.

- ☐ Dann geben Sie Ihren Namen, Ihre E-Mail-Adresse und ein Passwort ein.
- ☐ 3 Danach drücken Sie auf „Registrieren". Sie sind jetzt Mitglied des sozialen Netzwerks.
- ☐ Zuerst gehen Sie auf die Webseite des Netzwerks. Jetzt sind Sie auf der Startseite.
- ☐ Schließlich können Sie Kontakt mit anderen aufnehmen, E-Mails verschicken oder chatten.
- ☐ Anschließend können Sie Ihre Seite aufbauen. Sie können Ihr Profil ausfüllen, noch mehr Angaben zur Person machen und Fotos hochladen. Und hoffentlich erhalten Sie bald interessante Nachrichten!

b Ersetzen Sie.

1 jeden Morgen	_morgens_	4 jeden Monat	_____
2 jeden Tag	_____	5 jeden Abend	_____
3 jeden Sonntag	_____	6 jeden Mittag	_____

c Ordnen Sie die Wörter aus b zu.

Ada geht ____morgens____ schon vor dem Frühstück ins Internet und liest ihre Mails. Am Vormittag arbeitet sie. _____, wenn sie Pause hat, schaut sie wieder in ihre privaten Mails. _____, nach der Arbeit, chattet sie mit ihren Freunden. Manchmal bis in die Nacht. Am Wochenende, immer _____, spricht sie mit ihrer Familie in der Türkei per Skype. Letzten Monat hat sie _____ ungefähr 10 SMS geschrieben. Das sind _____ fast 300. Das war bisher ihr Rekord.

zu Hören, S. 10, Ü3

5 Temporaladverbien: Häufigkeit 🖳 ÜBUNG 3, 4

GRAMMATIK

Ergänzen Sie.

~~häufig~~ · nie · immer · selten · manchmal · oft

1 Den letzten Brief habe ich vor einem Jahr geschrieben. Ich schreibe sehr _____ Briefe, eigentlich fast nie.
2 Ich gehe _____ ohne mein Handy aus dem Haus. Das habe ich immer dabei. Und ich schreibe ___häufig___ am Tag SMS.
3 Ich lese nie Nachrichten in einer Zeitschrift, denn ich informiere mich _____ online. Ich schaue sehr _____ ins Internet, was passiert ist.
4 Ich schreibe fast nur E-Mails, aber _____ auch SMS.

zu Hören, S. 10, Ü3

6 Medien nutzen 🖥 ÜBUNG 5   WORTSCHATZ

Ergänzen Sie die Nomen.

> Sachinformationen/Nachrichten · Skype ·
> ~~E-Mails/SMS~~ · Internet · Kontakt

1 ___E-Mails/SMS___ schreiben/lesen
2 Im _____ surfen
3 _____ suchen und lesen
4 _____ mit Freunden halten
5 Im Internet per _____ telefonieren

zu Hören, S. 10, Ü3

7 Neu und alt   LESEN

Lesen Sie den Artikel und ergänzen Sie.

> Echte Freunde · Lexika und Wörterbücher · Papierfotos · Postkarten · Wecker

Unsere Medienwelt – 5 Dinge, die vom Aussterben bedroht sind ...

1 _____

Noch in den 90er-Jahren war es ganz normal, aus dem Urlaub eine kitschige Ansichtskarte zu schicken. Unwichtige Zeilen wie „Das Wetter ist schön und der Strand traumhaft" vermisst heutzutage wohl niemand. Allerdings freut sich jeder, wenn ihm ein lieber Mensch eine Karte
5 schreibt, statt nur mit einer Handy-Nachricht oder via Facebook über eine Reise zu berichten.

2 _____

Früher konnte man Erinnerungen an die Kinder oder an den traumhaften Urlaub in den Händen halten und anschauen. Mittlerweile sind viele Reisen und private Ereignisse nur noch auf Chipkarten und in Computern gespeichert.

10 3 _____

Wissen hatte früher ein paar hundert Seiten und passte zwischen zwei Buchdeckel.
Das wünscht man sich heute nur manchmal zurück, denn im Internet findet man stets aktualisiertes Wissen. Man kann schneller und bequemer z. B. ein deutsches Wort oder eine Erklärung nachschlagen, ohne lange blättern zu müssen.

15 4 _____

Wo er früher stand, liegt heutzutage oft das Handy. Ein eigenes Gerät braucht man für den Start in den Tag nicht mehr. Man lässt sich zwar viel moderner wecken, aber das Aufstehen fällt genauso schwer.

5 _____

20 Das Wort „Freund" hat im Zeitalter sozialer Netzwerke eine andere Bedeutung bekommen. Ich klicke dich an, du klickst mich an. Und schon ist man in der Freundschaftsliste. Kann man wirklich einen Freundeskreis von 200 oder mehr Freunden haben?

zu Sprechen, S.11, Ü2

8 Auf einer einsamen Insel 🖥 ÜBUNG 6 HÖREN

🎧 2 a Hören Sie die Interviews. Was meinen Sie: Welches Gerät würden die Personen unbedingt auf eine einsame Insel mitnehmen? Markieren Sie.

	Computer/Laptop	Smartphone	Handy	keins
Person 1				
Person 2				
Person 3		X		
Person 4				

🎧 3 b Hören Sie noch einmal und kontrollieren Sie. Notieren Sie dann, was die Personen hauptsächlich machen möchten.

Person 1	Person 2	Person 3	Person 4
SMS schreiben			

zu Sprechen, S.11, Ü2

9 Shoppen 🖥 ÜBUNG 7 FILMTIPP/LESEN

a Lesen Sie die Inhaltsangabe. Was für ein Film ist das? Markieren Sie.

☐ ein Dokumentarfilm
☐ ein Actionfilm
☐ eine Komödie

b Lesen Sie noch einmal und ergänzen Sie.

Zeit • Gespräch • Teilnahme •
Themen • Hoffnung • Liebe •
~~Partnerschaft~~ • Gewohnheiten

Shoppen

Deutschland 2006
95 Minuten
Regisseur: Ralf Westhoff

Ausgezeichnet mit dem
Bayerischen Filmpreis.

Hamburg – Neun Frauen, neun Männer und ein Ziel. 18 Großstadt-Singles sind auf der Suche nach einer ___Partnerschaft___ (1) und hoffen, dass sie beim Speed-Dating die große Liebe finden. Jeweils fünf Minuten haben sie _____ (2), um sich dem Gegenüber zu präsentieren. Da ist zum Beispiel Markus, Literaturstudent, der in seinem
5 Fünf-Minuten-_____ (3) anfängt, sich mit der jungen Jasmin über die _____ (4) beim Autofahren zu streiten.
Oder die schüchterne Krankenschwester Irina, die die _____ (5) am Speed-Dating von Kollegen geschenkt bekommen hat, eigentlich nicht gern mitmacht, sich aber sofort unsterblich verliebt.
10 Man spricht über Cappuccino, Allergien und Konsumverhalten, Linienbusse, Autos, Obstkisten, Schnäppchen und Designerstücke, aber auch über das Alleinsein und die Einsamkeit.
Die Liste von Small Talk-_____ (6) ist lang. Doch noch hat keiner die _____ (7) auf Romantik aufgegeben. Es bleibt keine Zeit, viel nachzudenken, schließlich geht es darum, die _____ (8) des Lebens zu
15 finden. Auf freche und witzige Art wird das Porträt einer neuen Singlegeneration mit all ihren Krisen und Freuden dargestellt.

zu Sprechen, S. 11, Ü3

10 Speed-Dating 🖳 ÜBUNG 8   SPIEL

Sie haben 3 Minuten Zeit, um Ihre Lernpartnerin /
Ihren Lernpartner besser kennenzulernen. Stellen
Sie viele Fragen und unterhalten Sie sich über
Dinge, die Sie interessieren. Danach wechseln Sie
die Plätze.

zu Wussten Sie schon?, S. 13

11 Sprachenquiz   LANDESKUNDE

Wie gut kennen Sie sich mit Sprachen aus? Markieren Sie.

Das Ergebnis finden Sie auf S. 136.

1 Welche Sprache wird weltweit am
  häufigsten gesprochen?

  ☐ Englisch.
  ☐ Spanisch.
  ☐ Hindi.
  ☐ Hochchinesisch.

2 Wie viele Sprachen gibt es weltweit?

  ☐ Mehr als 1000.
  ☐ Mehr als 2000.
  ☐ Mehr als 6000.
  ☐ Mehr als 10 000.

3 Zu den Ländern mit den meisten Sprachen
  gehört ...

  ☐ Litauen.
  ☐ Papua-Neuguinea.
  ☐ Südafrika.
  ☐ Venezuela.

4 Wie viele offizielle Sprachen, die man in
  Ämtern und Behörden spricht, gibt es in
  der Europäischen Union (EU)?

  ☐ 7
  ☐ 15
  ☐ 23
  ☐ 38

5 Wie viel Prozent der EU-Bürger
  beherrschen mindestens eine
  Fremdsprache?

  ☐ 21 %
  ☐ 56 %
  ☐ 74 %
  ☐ 82 %

6 Von wem ist das erste deutsche Wörterbuch, in dem auch Schimpfwörter
  auftauchen?

  ☐ Von den Brüdern Grimm.
  ☐ Von Wilhelm Hauff.
  ☐ Von Hans Christian Andersen.
  ☐ Von Konrad Duden.

7 Im Duden gibt es etwa 130 000 Einträge.
  Wie viele Wörter verwendet ein deutscher
  Sprecher im Durchschnitt?

  ☐ 3000 bis 4000.
  ☐ 6000 bis 10 000.
  ☐ 30 000 bis 50 000.
  ☐ 70 000 bis 90 000.

8 Welcher deutsche Denker sprach mit
  13 Jahren fließend Griechisch, Latein
  und Französisch und lernte später noch
  Englisch, Italienisch, Spanisch, Baskisch,
  Ungarisch, Tschechisch und Litauisch?

  ☐ Johann Gottfried von Herder.
  ☐ Christoph Martin Wieland.
  ☐ Georg Friedrich Wilhelm Hegel.
  ☐ Wilhelm von Humboldt.

1

LEKTION 1

zu Lesen, S. 14, Ü5

12 Adjektivdeklination mit indefinitem Artikel 🖥 ÜBUNG 9, 10, 11, 12   GRAMMATIK

Ergänzen Sie die Endungen und den Kasus (Nominativ, Akkusativ, Dativ).

Im Deutschunterricht ...
1 ist für mich wichtig:
   ein nett_____ Lehrer.
   ein gut_____ Lehrbuch.   } Nominativ
   eine nett _____ Lehrerin.
   aktuell_____ Texte und Filme.

2 möchte ich ...
   einen gut_____ Unterricht.
   ein deutsch_____ Lied hören.
   eine spannend_____ DVD sehen.
   viele interessant_____ Übungen machen.

3 lerne ich ...
   in einem schön_____ Raum.
   mit einem gut_____ Buch.
   in einer modern_____ Schule.
   mit nett_____ Leuten.

zu Lesen, S. 14, Ü5

13 Kofferpacken   SPIEL

a Was nehmen Sie alles in den Urlaub mit?
   Machen Sie ein Kettenspiel.

Ich nehme mit:
ein spannendes Buch, ...

Ich nehme mit:
ein spannendes Buch,
ein kleines Handtuch, ...

b Variieren Sie.

   ■ Ich fahre nur mit ... in den Urlaub.
     Ich fahre nur mit einem spannenden Buch,
     einem kleinen Handtuch, ...

   ■ In meinem Koffer ist ...
     In meinem Koffer ist ein spannendes Buch,
     ein kleines Handtuch, ...

zu Lesen, S. 14, Ü5

14 Adjektivdeklination mit definitem Artikel   GRAMMATIK

Ergänzen Sie die Tabelle.

Das fällt mir schwer:	Ich lese ...	Ich lerne mit ...
der schwierig_e_ Text	den lang_____ Text.	dem sympathisch_____ Schüler.
das kompliziert_____ Spiel	das neu_____ Buch.	dem gut_____ Lehrwerk.
die neu_____ Grammatik	die schwer_____ Übung.	der nett_____ Nachbarin.
die lang_____ Übungen	die neu_____ Wörter.	den lustig_____ Kollegen.

LEKTION 1

zu Lesen, S. 14, Ü5

15 Gespräche im Unterricht 🖥 ÜBUNG 13, 14, 15 GRAMMATIK

Ergänzen Sie.

1 Sind das d_ie_ neu_en_ Wörter, die wir lernen müssen?
2 Ich habe Probleme mit d_____ kompliziert_____ Satz auf Seite 3.
3 Ich lerne gern mit d_____ neu_____ Buch.
4 Hast du schon d_____ französisch_____ Schülerin kennengelernt?
5 Lernen Sie bitte d_____ wichtig_____ Redemittel auswendig.
6 Wie findest du d_____ jung_____ Lehrer?
7 Ich wiederhole jeden Tag d_____ schwierig_____ Wörter.
8 Was sollen wir für d_____ geplant_____ Schulausflug morgen mitbringen?
9 Wir haben d_____ alt_____ Kursraum renoviert. Jetzt ist er viel schöner.
10 D_____ lang_____ Texte interessieren mich.

zu Lesen, S. 14, Ü5

16 Lernerporträts 🖥 ÜBUNG 16 GRAMMATIK

a **Was möchten die Lerner im Unterricht machen? Ergänzen Sie.**

> ~~lustige~~ · einsprachiges · tolles · beruflichen · langen · kurze · kreativen ·
> kommunikative · spannende · kleine · deutsche · zweisprachigen

1 Ich lese gern kurze Texte. Ich mag keine _____ Texte. Viele
Wörter kenne ich nicht, aber ich habe mir ein _____
Wörterbuch gekauft. Da lernt man viel mehr als mit einem
_____ Wörterbuch.

2 Ich muss in meinem Job viel telefonieren. Ich brauche also Deutsch hauptsächlich für meinen _____ Alltag. Deshalb möchte ich im Unterricht
viel sprechen. Ich mache gern _____ Sprechspiele. Das
macht Spaß! Ach ja! Und ich erzähle auch gern _lustige_ Witze auf Deutsch.

3 Ich möchte vor allem viel verstehen. Deshalb höre ich oft Musik und schaue mir
alle Filme auf Deutsch an. Ich möchte _____ Bands hören und
ihre Liedtexte verstehen. Das finde ich cool.
Außerdem ist es ein _____ Gefühl, wenn man _____
Filme im Original ohne Untertitel verstehen kann.

4 Ich schreibe oft E-Mails und chatte gern mit Freunden. Ich schreibe sogar
_____ Gedichte und mache dabei natürlich einige _____
Fehler, aber das finde ich nicht schlimm. Fehler sind ganz normal! Nur so kann
man eine Sprache lernen. Ich mache auch gern viele Übungen, besonders mag
ich Übungen mit _____ Aufgaben.

🔊 (4) b **Hören Sie dann und vergleichen Sie.**

LEKTION 1

zu Lesen, S. 14, Ü5

17 Immer online 🖳 ÜBUNG 17

GRAMMATIK

1 Frank liest jeden Tag die aktuell _en_ Nachrichten online.
2 Er hat bei Facebook einen groß_____ Freundeskreis und schon fast 1000
   international_____ Freunde.
3 Oft chattet er im Internet mit mindestens fünf verschieden_____ Freunden
   gleichzeitig.
4 Er führt stundenlang_____ Gespräche per Skype.
5 Frank möchte per Internet ein_____ neu_____ Partnerin kennenlernen.
   Aber er hat noch nicht die richtig_____ gefunden.
6 Pro Tag schreibt er circa 20 lang_____ SMS auf seinem Handy.

zu Lesen, S. 14, Ü5

18 Adjektivdeklination ohne Artikel

GRAMMATIK ENTDECKEN

a Lesen Sie die Anzeigen und markieren Sie die Nomen mit Adjektiven in drei Farben:
  Nominativ, Akkusativ und Dativ.

1 Erfahrener Deutschlehrer erteilt kommunikativen Deutschunterricht.

2 Schöne Stifte! Büromaterial gleich hier ums Eck.

3 Suche deutsche Musik!

4 Verschenke einsprachiges Wörterbuch.

5 Französische Ingenieurin spielt gern Squash und sucht Tandempartner/in mit ähnlichem Interesse.

6 Suche deutsche Freunde zum Chatten und Skypen. Auch Mail-Kontakt.

7 Suche Deutsch-Lehrbuch mit eingelegten CDs!

8 Italienisches Au-pair-Mädchen mit deutschem Freund sucht Job in netter deutscher Familie.

b Ergänzen Sie die Tabelle.

	Nominativ	Akkusativ	Dativ
maskulin			deutschem Freund
neutral			
feminin			
Plural		deutsche Freunde	

14

LEKTION 1

zu Lesen, S. 14, Ü5

19 Adjektivdeklination ▣ ÜBUNG 18, 19   GRAMMATIK

Ergänzen Sie.

1. Sympathisch_____ Deutschlehrerin erteilt interessant*en*, abwechslungsreich_____ Deutschunterricht.

2. Verkaufe lustig_____ viele spannend_____ Hörbuch und Hörspiele.

3. Wer übt mit mir Deutsch? Lustig_____ Italiener sucht deutsch_____ Freunde.

4. Deutsch_____ Aussprachetraining gesucht!

5. Sie wollen schnell und effektiv Deutsch lernen? Mit unserer neu_____ Methode gelangen Sie über Nacht zu schnell_____ Erfolg!

6. Aktiv_____, unternehmungslustig_____ Architekt aus England sucht nett_____ Tandempartner zum Deutsch und Englisch sprechen.

7. Gebraucht_____ Lehrwerk zu verschenken.

zu Lesen, S. 14, Ü5

20 Lerntipps ▣ ÜBUNG 20, 21   GRAMMATIK

Ergänzen Sie.

Alles, was Spaß macht!

- Schreiben Sie ein außergewöhnlich*es* Erlebnis auf. Kleben Sie ein schön_____ Bild dazu.
- Schreiben Sie mal wieder eine nett_____ Postkarte an einen lieb_____ Freund oder eine lieb_____ Freundin.
5 - Machen Sie einer sympathisch_____ Person jeden Tag ein nett_____ Kompliment.
- Mögen Sie deutsch_____ Musik? Dann singen Sie doch deutsch_____ Lieder unter der Dusche oder beim Fahrradfahren!
- Erzählen Sie mal einen deutsch_____ Witz!
- Sammeln Sie deutsch_____ Sprichwörter. Suchen Sie ähnlich_____ in Ihrer Sprache.

10 ### Lernen mit Fantasie!

- Suchen Sie Wörter, die sich reimen, z.B. schön – Föhn. Schreiben Sie ein klein_____ Gedicht. Lernen Sie es auswendig und tragen Sie das Gedicht vor.
- Suchen Sie in lang_____ Wörtern so viele Wörter wie möglich und bilden Sie neu_____ Wörter aus den Buchstaben.
15 Beispiel: Sprachunterricht: *Ach! – ich – reich – nicht – Teich – auch – spricht – Schach – Rache – ...*
- Spielen Sie mit Wörtern! Bilden Sie mit neu_____ Wörtern klein_____ Sätze oder denken Sie sich ungewöhnlich_____ Geschichten aus.
20 - Hängen Sie schwierig_____ Wörter im Zimmer auf! Schmücken Sie Ihren alt_____ Spiegel oder das langweilig_____ Bad mit Zetteln, auf die Sie Wörter geschrieben haben, die Sie immer wieder vergessen.

15

LEKTION 1

zu Lesen, S. 14, Lerntipp

21 Nomen-Verb-Verbindung 💻 ÜBUNG 22

WORTSCHATZ

Ordnen Sie zu.

1 eine wichtige Rolle	nachschlagen
2 einen guten Eindruck	spielen
3 eine interessante Frage	haben
4 ein neues Wort	machen
5 beruflichen Erfolg	verwenden
6 ein einsprachiges Wörterbuch	stellen

zu Wortschatz, S. 15, Ü4

22 Ein einsprachiges Wörterbuch benutzen

WORTSCHATZ

Ordnen Sie die Wörter aus dem folgenden Satz den grammatischen Begriffen zu.

Mein Lehrer hat gesagt, wir sollen neue Wörter oft wiederholen.

Mein	(Personal)pronomen
Lehrer	Nomen, Singular, Nominativ
hat ... gesagt	Nomen, Akkusativ, Plural
wir	Verb im Infinitiv
sollen	Temporaladverb
neue	Adjektiv
Wörter	Verb im Perfekt
oft	Possessivartikel
wiederholen	Modalverb

23 Deutschlernen

MEIN DOSSIER

Schreiben Sie zu folgenden Punkten:

MEIN PORTRÄT

Name: _____
Land: _____
Beruf: _____
Ich lerne Deutsch, weil _____
Das fällt mir schwer: _____
Das kann ich gut: _____
Das mache ich gern / Das macht mir Spaß: _____
Mein größter Wunsch / Mein Ziel: _____
Mein deutsches Lieblingswort ist: _____
An einem freien Tag in Deutschland würde ich _____

LEKTION 1

— AUSSPRACHE: *e* und *er* am Wortende —————————————

CD1 C 5 1 Ergänzen Sie. Hören Sie dann und sprechen Sie nach.

So macht Deutschlernen Spaß!

Ein gemütlich_____ Raum.
Eine sympathisch_____ Lehrerin.
Ein sympathisch_____ Lehrer.
Viele neu_____ Wörter.
Klar_____ Grammatiktabellen.
Hilfreich_____ Grammatikregeln.
Interessant_____ Texte.
Eine schön_____ Schule.

Nett_____ Teilnehmer.
Lustig_____ Spiele.
Aktuell_____ DVDs.
Modern_____ Lieder.
Abwechslungsreich_____ Übungen.
Interessant_____ Lernstoff.
Ein klar_____ Lehrplan.
Einfach ein gut_____ Unterricht!

CD1 C 6 2 Welches Wort hören Sie? Markieren Sie.

1 ☐ Lehre ☐ Lehrer
2 ☐ Spiele ☐ Spieler
3 ☐ schöne ☐ schöner
4 ☐ schwere ☐ schwerer
5 ☐ Rolle ☐ Roller
6 ☐ Suppe ☐ super

7 ☐ keine ☐ keiner
8 ☐ Worte ☐ Wörter
9 ☐ Katze ☐ Kater
10 ☐ Schule ☐ Schüler
11 ☐ Liebe ☐ lieber
12 ☐ Spitze ☐ Spitzer

3 Partnerdiktat

a Schreiben Sie einen Text für Ihre Lernpartnerin / Ihren Lernpartner.

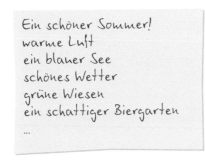

Ein schöner Sommer!
warme Luft
ein blauer See
schönes Wetter
grüne Wiesen
ein schattiger Biergarten
...

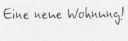

Ein toller Urlaub!

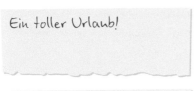

Eine neue Wohnung!

b Diktieren Sie den Text Ihrer Lernpartnerin / Ihrem Lernpartner.

17

LEKTION 1 LERNWORTSCHATZ

der Interviewer, - _____   die Person, -en _____

der Kontakt, -e _____   zweimal _____

das Handy, -s _____   skypen _____

das Interview, -s _____   twittern _____

die Nachricht, -en _____   häufig _____

die Reihenfolge, -n _____   immer _____

das Thema, die Themen _____   manchmal _____

chatten _____   nie _____

checken _____   oft _____

markieren _____   selten _____

online sein* _____

der Chat, -s _____   erhalten* _____

das Gerät, -e _____   einsam _____

die Insel, -n _____   persönlich _____

das Netz, -e _____   regelmäßig _____

  das Netzwerk, -e _____   sozial _____

der Rekord, -e _____

der Titel, - _____   ungefähr _____

der Alltag (Sg.) _____   die Liste, -n _____

der Artikel, - (Wortart) _____   das Original, -e _____

der Ausdruck, ̈e _____   das Redemittel, - _____

die Aussprache (Sg.) _____   die Regel, -n _____

der Erfolg, -e _____   die Rolle, -n _____

das Ergebnis, -se _____   das Sprichwort, ̈er _____

die Fremdsprache, -n _____   das Symbol, -e _____

das Gefühl, -e _____   das System, -e _____

die Geschichte, -n _____   die Tabelle, -n _____

die Kommunikation, -en _____   das Training, -s _____

der Kursleiter, - _____   die Übung, -en _____

die Kursleiterin, -nen _____

der Laut, -e _____   eine Rolle spielen _____

der (Lern)typ, -en _____   einsetzen _____

der/das/die Lieblings- _____   schwerfallen* _____

  das Lieblingswort _____   es fällt* (mir) schwer _____

      verbessern _____

LEKTION 1 LERNWORTSCHATZ

aktiv _____

notwendig _____

nützlich _____

spannend _____

allerdings _____

normalerweise _____

SEITE 15 WORTSCHATZ

der Eintrag, ⸚e _____

das Fachwort, ⸚er _____

der Satz, ⸚e _____

der Vorteil, -e _____

das Wörterbuch, ⸚er _____

der Zweck, -e _____

(sich) ansehen* _____

nachschlagen* _____

geeignet _____

SEITE 16–17 SEHEN UND HÖREN

der Teilnehmer, - _____

die Teilnehmerin, -nen _____

das Ziel, -e _____

berichten _____

nun _____

WELCHE WÖRTER MÖCHTEN SIE NOCH LERNEN?

_____

_____

_____

_____

_____

_____

_____

_____

_____

_____

_____

_____

_____

_____

_____

_____

_____

Nomen mit der Angabe (Sg.) verwendet man (meist) nur im Singular.

Nomen mit der Angabe (Pl.) verwendet man (meist) nur im Plural.

Verben, die mit einem * gekennzeichnet sind, sind unregelmäßig. Sie können die Formen im Kursbuch ab S. 105 nachschlagen.

LEKTIONSTEST 1

1 Wortschatz

Ergänzen Sie die Nomen.

1 Jan hat fast alle seine Freunde in einem sozialen N_____ kennengelernt.
2 Ich möchte deutsche Filme im O_____ verstehen, ohne Untertitel.
3 Die Prüfung war nicht so schwer. Ich bin mir sicher, dass das E_____ von meinem Test gut ist.
4 Mit Frau Clausen macht das Deutschlernen Spaß. Sie mag ich am liebsten. Frau Clausen ist meine L_____skursleiterin.
5 Die G_____, die er erzählt hat, war total spannend.
6 Ich benutze immer ein einsprachiges W_____, wenn ich ein Wort nicht verstehe.
7 Es fällt mir schwer, deutsche Wörter auszusprechen. Deshalb mache ich immer viele Übungen zum Ausprachet_____ .
8 Ich mache mir eine L_____ der unregelmäßigen Verben und lerne sie auswendig.

Je 1 Punkt   **Ich habe _____ von 8 möglichen Punkten erreicht.**

2 Grammatik

a Was ist richtig? Markieren Sie.

Den letzten Brief habe ich vor fünf Jahren geschrieben. Ich schreibe sehr *selten / oft* (1) Briefe, eigentlich fast nie. Ich gehe *immer / nie* (2) ohne mein Handy aus dem Haus. Das brauche ich unbedingt. Ich lese Nachrichten gar nicht mehr in einer Zeitung, sondern informiere mich *immer / nie* (3) online. Ich schreibe fast nur E-Mails, aber *mehrmals / manchmal* (4) auch SMS.

Je 1 Punkt   **Ich habe _____ von 4 möglichen Punkten erreicht.**

b Ergänzen Sie die Endungen.

1 Ich lerne Deutsch mit einem interessant____ Buch, in einer schön____ Schule und in einem ruhig____ Raum.
2 Wir haben das alt____ Klassenzimmer renoviert. Jetzt ist es viel schöner.
3 Sind das die neu____ Wörter, die wir lernen müssen?
4 Ich habe Probleme mit der schwierig____ Grammatik in Lektion 5.
5 Ich möchte deutsch____ Bands hören und ihre Liedtexte verstehen.
6 Frank möchte per Internet eine attraktiv____ Partnerin kennenlernen. Aber er hat noch nicht die richtig____ gefunden.
7 Erfahren____ Deutschlehrer erteilt kommunikativ____ Deutschunterricht mit modern____ Methode.
8 Ich lerne immer die wichtig____ Ausdrücke auswendig. Das hilft mir.
9 In meinem Job telefoniere ich viel. Ich brauche Deutsch also für meinen beruflich____ Alltag.

Je 1 Punkt   **Ich habe _____ von 14 möglichen Punkten erreicht.**

3 Kommunikation

Ordnen Sie zu.

1 Also, ich brauche Deutsch
2 Ich arbeite zurzeit in einem Hotel und habe viel
3 Für mich sind also
4 Aber ich muss natürlich auch

Hören und Sprechen am wichtigsten.
viel schriftlich kommunizieren.
mit deutschen Gästen zu tun.
für meinen Beruf.

Je 1 Punkt   **Ich habe _____ von 4 möglichen Punkten erreicht.**

Auswertung: Vergleichen Sie Ihre Lösungen mit S. 134.
Ihre Erfolgspunkte tragen Sie unter jeder Aufgabe ein.

Ich habe _____ von 30 möglichen Punkten erreicht.

☺	☺	☹
30–26	25–15	14–0

1 Rund ums Fest!

a Wie heißen diese Feste? Schreiben Sie.

1   Hochzeit

b Welche Wünsche passen? Ordnen Sie sie den Bildern aus a zu. Schreiben Sie.

1   Alles Gute!   3   _____

2   _____   4   _____

2 Wörterschlange zum Thema *Feste*

Bilden Sie eine Wörterschlange.
Das neue Wort beginnt immer mit dem letzten
Buchstaben des vorhergehenden Wortes.

Feier – Restaurant – tanzen – N...

---

zu Hören, S. 20, Ü3

3 Stilfragen   🖳 ÜBUNG 1

Ergänzen Sie in der richtigen Form.

> anbieten • einladen • ansprechen • mitbringen • anziehen • kaufen • ~~aussehen~~

1 „Also neulich _____ mich die Eltern von meiner Freundin zum Abendessen
_____ . Da war ich dann natürlich pünktlich. Sonst komme ich
zu Partys eigentlich immer eine Stunde später. Und ich _habe_ natürlich
ordentlich _ausgesehen_ ."

2 „In meinem Job als Journalistin muss ich oft auf Konferenzen gehen. Die Frage
ist immer: Was _____ man nur _____ ? Turnschuhe und Jeans,
also was ich normalerweise so anhabe, gehen natürlich nicht. Ich trage dann
meist höhere Schuhe und einen schicken Blazer. Das passt immer."

3 „Als uns unsere Professorin zu sich nach Hause eingeladen hat, waren meine
Freunde und ich ziemlich unsicher, was wir als Gastgeschenk _____
könnten. Wir wollten alles richtig machen und _____ ihr dann
einen schönen Blumenstrauß _____ . Sie hat sich sehr gefreut."

4 „Das mit dem ‚Du' und dem ‚Sie' – das ist nicht so einfach. Wir _____
uns in der Abteilung normalerweise mit ‚Sie' _____ . Aber manchmal
_____ ich einem langjährigen Mitarbeiter auch das ‚Du' _____ .
Ich darf das. Ich bin ja der Chef!"

zu Hören, S. 20, Ü3

4 Eine Einladung beim Chef

GRAMMATIK ENTDECKEN

CD 1 **7** a Hören Sie die Sätze und ergänzen Sie.

ohne Modalpartikeln

1 Beeil dich ein bisschen.
2 Haben Sie den Weg zu uns leicht gefunden?
3 Kennen Sie sich?
4 Ihre Wohnung ist toll!
5 Ich weiß nicht, was du immer hast. Dein Chef ist ganz nett.

mit Modalpartikeln

1 Beeil dich _mal_ ein bisschen.
2 Haben Sie den Weg zu uns leicht gefunden?
3 Kennen Sie sich   ?
4 Ihre Wohnung ist   toll!
5 Ich weiß nicht, was du immer hast. Dein Chef ist   ganz nett.

CD 1 **8** b Hören Sie die Sätze mit Modalpartikeln noch einmal und sprechen Sie nach.

CD 1 **9** c Was drücken die Sätze mit Modalpartikeln in a aus?
Ordnen Sie zu. Hören Sie dann noch einmal.

	Satz
Interesse	3
Überraschung	
Aufforderung/Bitte	
Gegensatz	
Interesse	

zu Hören, S. 20, Ü3

5 Einladung 🖳 ÜBUNG 2, 3

GRAMMATIK

a Ergänzen Sie die Modalpartikeln.

doch • ja • denn • denn • ~~eigentlich~~ • doch • eigentlich

● Sind wir hier _eigentlich_ (1) richtig?

■ Ja, da steht's _____ (2): Basti und Benni Krämer.

● Wie lange dauert das _____ (3), bis hier jemand aufmacht?

■ Wann soll die Party _____ (4) anfangen?

● In der Einladung auf Facebook hieß es: Ab 20 Uhr. Ich bin mir aber jetzt nicht sicher.

■ 20 Uhr? Dann wären wir _____ (5) genau pünktlich.

● Es ist aber noch so ruhig. Wen haben die _____ (6) alles eingeladen?

■ Alle ihre Freunde, glaube ich.

● Oh je, ich glaube, wir sind die ersten.

■ Aber das ist _____ (7) super! Dann bekommen wir mehr zu essen ...

CD 1 **10** b Hören Sie das Gespräch und kontrollieren Sie.

zu Hören, S. 20, Ü2

6 Gute Ratschläge 💻 ÜBUNG 4   LANDESKUNDE / LESEN

Lesen Sie den Text und die Aufgaben 1 bis 4. Was passt? Markieren Sie.

1 Zu einer Einladung zum warmen
Essen sollte der Gast ...

- [a] maximal 15 Minuten zu spät kommen.
- [b] eine Stunde später kommen.
- [c] 15 Minuten zu früh kommen.

2 Welches Gastgeschenk ist nicht
so üblich?

- [a] ein alkoholisches Getränk
- [b] rote Rosen
- [c] etwas Süßes

3 Gastgeber ...

- [a] dürfen die Gäste ruhig ein wenig warten lassen.
- [b] sollten die Gäste mitarbeiten lassen.
- [c] müssen mit den Vorbereitungen früh genug beginnen.

4 Small Talk. Welches Thema sollte
man lieber nicht ansprechen?

- [a] Gehalt
- [b] Berufstätigkeit
- [c] Familie

Kurz-Ratgeber für Gäste

Sie sind zum ersten Mal bei Ihrem Chef zum Abendessen eingeladen? Oder zu einem ersten
Kennenlernen bei den Eltern Ihrer Freundin / Ihres Freundes? Sie wissen nicht, was Sie beachten müssen? Sie haben keine Zeit, Freunde zu fragen? Kein Grund zur Panik! Wir helfen
5 Ihnen, damit Sie alles richtig machen.
Zunächst einmal: Zu einer Party dürfen Sie ruhig mal eine Stunde später kommen. Gern
auch zwei, wenn Sie zu Hause noch an Ihrem Outfit feilen wollen. Aber eine Einladung zu
einem warmen Abendessen sollten Sie nicht auf die leichte Schulter nehmen. Wenn Sie sich
öfter mal verspäten, dann stellen Sie sich Ihre Uhr einfach 15 Minuten vor, damit Sie auch
10 garantiert zur richtigen Zeit kommen. Wenn Sie eine Viertelstunde später eintreffen, nimmt
Ihnen das auch niemand übel, aber denken Sie daran: Ihre Gastgeber versuchen, das Essen
pünktlich bereitzuhalten. Oder essen Sie gern kalte Suppe?
Zeigen Sie, dass Sie sich über die Einladung freuen, indem Sie den Gastgebern eine Kleinig-
keit mitbringen. Das muss nicht unbedingt eine teure Flasche Rotwein sein. Vielleicht grei-
15 fen Sie zu einer Schachtel Pralinen oder schenken der Gastgeberin ein paar hübsche Blumen.
Sie wird sich bestimmt darüber freuen. Seien Sie jedoch vorsichtig bei der Wahl der Blumen!
Rote Rosen sollten Sie wirklich nur in Ausnahmefällen wählen, denn die sprechen eine ganz
eigene Sprache ...
Übrigens, auch für den Gastgeber gelten bestimmte Regeln. Ein guter Gastgeber hat seinen
20 Zeitplan im Griff. Pünktliche Gäste sollten nicht bestraft werden, indem sie mithelfen müssen. Wenn Sie aber sehen, dass es doch noch etwas zu tun gibt, dann bieten Sie ruhig Ihre
Hilfe an. Vielleicht kommen Sie so schon beim Tischdecken mit dem Gastgeber ins Gespräch.
Spätestens jedoch, wenn alle gemütlich am Tisch sitzen und miteinander plaudern, ist
das Eis gebrochen. Sie haben gewiss viel zu erzählen, also nur zu! Ihre Gastgeber und die
25 anderen Gäste werden sicher gern etwas über Ihr Heimatland oder Ihre Familie erfahren.
Und vielleicht interessiert es Sie ja auch, welche Hobbys Ihr Gegenüber hat oder was sie/
er von Beruf ist. Neugier ist grundsätzlich erlaubt, aber übertreiben Sie es bitte nicht!
Nicht jeder Deutsche wird Ihnen z.B. gern erzählen, was er verdient oder welche berufliche
Position er hat.

LEKTION 2

zu Sprechen 1, S. 21, Ü3

7 Sich verabreden 🖥 ÜBUNG 5, 6

WORTSCHATZ

🎧 **11** Ergänzen Sie in der richtigen Form. Hören Sie dann das Gespräch und kontrollieren Sie.

> mitbringen · einladen · vorhaben · klingen · losgehen · ~~passen~~ · stören

● Hallo Anna, ich bin's, Peter.

■ Hi, Peter.

● Äh ... _____ (1) ich dich gerade?

■ Nein, gar nicht.

● Wie war dein Wochenende?

■ Ganz gut. Und deins?

● Auch nicht schlecht. Also, warum ich dich anrufe: Nächste Woche feiere ich meinen Geburtstag
  und da wollte ich dich _____ (2). Hättest du Lust zu kommen?

■ Das _____ (3) toll. Wann denn?

● Am Samstagabend. Bei mir zu Hause.

■ Das _passt_ (4) prima. Samstag _____ ich noch nichts _____ (5). Um wie viel Uhr?

● So gegen 8 _____ es _____ (6).

■ Aha. Also, ich komme wahrscheinlich etwas später, so gegen neun. Ist das okay?

● Gar kein Problem. Wir feiern die ganze Nacht.

■ Soll ich noch was _____ (7) ... zu essen oder so?

● Also, es wäre toll, wenn du einen Salat machen könntest.

■ Okay, gern. Alles klar!

● Bis Samstag dann! Ich freu mich!

■ Ich mich auch. Also, vielen Dank für die Einladung und bis dann! Ciao!

● Tschüss!

zu Lesen, S. 23, Ü3

8 Schriftliche Einladungen

KOMMUNIKATION

Ordnen Sie zu.

1 Zu ... laden wir Dich/Euch herzlich ein.
2 Wer kann für Getränke sorgen?
3 Treffpunkt ist am ... um ... am Hauptbahnhof.
4 Wir bitten Euch, uns bis nächste Woche
  mitzuteilen, ob Ihr kommen könnt.
5 Wir hoffen auf zahlreiche Teilnahme.

Ort und Zeitpunkt für ein Treffen nennen
den Grund für das Schreiben nennen
um Hilfe bitten
zum Kommen auffordern
um eine Bestätigung bitten

WIEDERHOLUNG GRAMMATIK

zu Lesen, S. 23, Ü4

9 Eine unglaubliche Geschichte 🖥 ÜBUNG 7

Ergänzen Sie in dem Telefongespräch die Reflexivpronomen.

... Und dann habe ich am Mittwoch zufällig Johannes auf der
Straße wiedergesehen. Unglaublich! Nach so langer Zeit!

Er hat _sich_ (1) gleich mit mir verabredet. Und gestern
waren wir dann in einem Café. Wir haben _____ (2)
lange über die alten Zeiten unterhalten. Und ich habe
_____ (3) noch genauso gut mit ihm verstanden wie
früher. So ein netter Typ! Stell dir vor, am Wochenende will
er _____ (4) schon wieder mit mir treffen.

LEKTION 2

Er will eine Wanderung in den Bergen mit mir machen. Und ich freue _____ (5) schon sehr
darauf. Er meint, seine Ex-Freundin hat _____ (6) immer über solche Ausflüge beschwert.
Also, das würde ich nie! Ich glaube fast, er hat _____ (7) ein bisschen in mich verliebt.
Als wir _____ (8) gestern voneinander verabschiedet haben, hat er mir ganz lange in die
Augen geschaut. Echt schön! Und das, wo ich _____ (9) noch letzte Woche so sehr mit Jörg
gestritten hatte. Erinnerst du _____ (10) noch an Jörg? Ihr habt _____ (11) doch auch
einmal so über ihn geärgert, damals als ...

zu Lesen, S. 23, Ü4

10 Verben mit Präposition 🖥 ÜBUNG 8, 9   GRAMMATIK ENTDECKEN

a   Markieren Sie in den Texten die Verben mit Präposition.

Liebe Frau Kölmel,

herzlichen Dank, dass Sie mich zu Ihrer
Abschiedsfeier eingeladen haben. Leider
habe ich an dem Tag einen Termin außer
Haus und kann nicht daran teilnehmen
5 und mich von Ihnen persönlich verabschieden. Ich möchte Ihnen daher auf
diesem Weg ganz herzlich zu der neuen
Stelle gratulieren und mich für alles
bedanken, was Sie für Ihre Abteilung
10 getan haben. Für die neue Aufgabe
wünsche ich Ihnen viel Erfolg!
Ich hoffe auf ein baldiges Wiedersehen
und würde mich über eine Nachricht von
Ihnen freuen.
15 Herzliche Grüße
Arnold Seifert, Personalchef Hauber AG

PS: Sie fragen nach Ihrem Zeugnis.
Das schicke ich an Ihre private Adresse!

Liebe Anna, hast Du eigentlich schon
an Georg und Barbara geschrieben? Sie
haben ja schon im April die Einladung
zu ihrer Hochzeit an uns verschickt
und um eine Antwort bis Juni gebeten.
Und jetzt höre ich, dass Du Dich noch
nicht gemeldet hast. Sie warten auf
Deine Zusage!
Du musst unbedingt auch kommen!
Ich freue mich auf Dich! ☺
Christian

Hey Leute! Unsere Strandparty ist
schon nächste Woche! Wir beschäftigen
uns schon seit Tagen mit nichts
anderem mehr ;).
Noch mal zur Erinnerung: Wir sorgen
für die Getränke, Ihr müsst Euch aber
um das Essen kümmern. Wenn Ihr Fragen
habt, dann meldet Euch bei uns!
Heinz und Evelyn

b   Ergänzen Sie die Präpositionen und den Kasus (Akkusativ/Dativ).

(ver)schicken _an_ • sich freuen _____ •
sich freuen _____ • sich bedanken _____ •
warten _____ • sorgen _____ •
bitten _____ • hoffen _____ •
schreiben _____ • sich kümmern _____

an • auf • für • über • um +_____

sich beschäftigen _____ • fragen _____ •
sich melden _____ • teilnehmen _____ •
einladen _zu_ • gratulieren _____ •
sich verabschieden _____

an • bei • mit • nach • von • zu +_____

25

LEKTION 2

zu Lesen, S. 23, Ü4

11 Akkusativ oder Dativ? 🖳 ÜBUNG 10, 11, 12

GRAMMATIK

Ergänzen Sie die Endungen, wo nötig, und markieren Sie.

	Akkusativ	Dativ
1 Ich habe die E-Mail an dein___ alte Adresse geschickt.	☒	☐
2 Würdet Ihr gern mal an ein___ Ausflug teilnehmen?	☐	☐
3 Ich möchte mich für dies___ tolle Party bedanken.	☐	☐
4 Nächste Woche beschäftigen wir uns endlich mit unser___ Urlaubsplanung, o. k.?	☐	☐
5 Benni hat sich wirklich total über unser___ Geschenk gefreut.	☐	☐
6 Ich suche nach mein___ Einladung. Hast du sie gesehen?	☐	☐
7 Du brauchst nichts zu trinken mitzubringen. Nico sorgt für d___ Wein.	☐	☐

zu Lesen, S. 23, Ü4

12 Verben mit Präposition: Fragen und Antworten

GRAMMATIK ENTDECKEN

🖳 ÜBUNG 13, 14

a Was passt? Markieren Sie.

1 ● Wann lädt uns Claudia denn zu ihrer Abschiedsfeier ein?
■ *Dazu* / *Zu ihr* hat sie uns doch schon letzte Woche eingeladen.

2 ● Warum hat sich Claudia eigentlich nicht von Herrn Schlotter verabschiedet?
■ *Davon* / *Von ihm* konnte sie sich gar nicht verabschieden, er war ja im Urlaub.

3 ● Weiß jeder, was er bei der Party zu tun hat? Sorgt Thomas eigentlich für die Getränke?
■ Ich glaube, *dafür* / *für sie* sorgt schon Annemarie.

4 ● Warum flüstert ihr? Sprecht ihr etwa über die neue Praktikantin?
■ Nein, *über sie* / *darüber* sprechen wir nicht. Aber hast du schon den neuen Informatiker gesehen? Stell dir vor, der …

5 ● Denkt Eva oft an ihren Freund in Venezuela?
■ Ja, ich glaube, sie denkt oft *daran* / *an ihn*. Aber nächste Woche kommt er ja wieder.

b Was passt? Markieren Sie.

Personen	☐ Wovon? / Davon.	☐ Von wem? / Von mir/dir/ ….
Sachen	☐ Wovon? / Davon.	☐ Von wem? / Von mir/dir/ ….

c Ergänzen Sie.

1 ● Wo *zu* lädt Claudia ein?
■ Zu ihrer Abschiedsfeier.

2 ● _____ wem verabschiedet sich Claudia?
■ Von ihrem Kollegen.

3 ● Wo*r*_____ bittet Claudia ihre Kollegen?
■ Um Antwort.

4 ● _____ wen soll man seine Antwort schicken?
■ An Frau Meier.

5 ● Wo*r*_____ freuen sich Robert und Janina?
■ Auf ihre Hochzeit.

6 ● _____ wem möchten sie feiern?
■ Mit Freunden und Verwandten.

d *Wo-* und *da-*: Wann braucht man ein *-r-*? Markieren Sie.

☐ durch ☐ für ☐ um ☐ an ☐ nach ☐ auf ☐ mit ☐ über ☐ von ☐ zu

LEKTION 2

zu Lesen, S. 23, Ü4

13 Fragen 🖥 ÜBUNG 15

GRAMMATIK

Ergänzen Sie die Fragewörter zu den Präpositionen.

> ~~von~~ • zu • an • von • mit • über

1 ♦ Carla, du bist ja ganz in Gedanken. _Von wem_ träumst du denn? Von deinem neuen Freund?
  ■ Ja. Und du, _____ träumst du? Von einer Reise um die Welt?

2 ■ _____ hast du dich denn gestern geärgert?
  ● Über das Gespräch mit meinem Chef.

3 ● Hast du schon gesehen? Frau Schmied hat Blumen im Büro und der Chef hat ihr gratuliert!
  ♦ _____ denn?
  ● Ich glaube zum 20-jährigen Betriebsjubiläum.

4 ● _____ warst du denn gestern Abend verabredet?
  ■ Mit Anna.

5 ♦ Schau mal, da drüben steht Thomas. Erinnerst du dich an ihn?
  ● _____?
  ♦ Na, an Thomas Reiter aus der Grundschule!

zu Wussten Sie schon?, S. 23

14 Stammtisch und Co. 🖥 ÜBUNG 16

LANDESKUNDE / HÖREN

CD1 🔊 12–14

Wo trifft man sich zum Gespräch mit anderen? Hören Sie drei Interviews und markieren Sie.

Interview 1:

1 Die Person arbeitet in einem Kaffeehaus in Wien (Österreich).

☐ Richtig   ☐ Falsch

2 Was macht sie am liebsten im Kaffeehaus?

  a Ihre Freunde treffen.
  b Menschen beobachten.
  c Sich mit Kollegen treffen.

Interview 2:

3 Die Person wohnt in Bayern (Deutschland).

☐ Richtig   ☐ Falsch

4 Wen trifft er beim Stammtisch regelmäßig?

  a Lokalpolitiker.
  b Seine Freunde.
  c Seine Kollegen.

Interview 3:

5 Die Person leitet ein Unternehmen in Bern (Schweiz).

☐ Richtig   ☐ Falsch

6 Wo trifft sie ihre Kollegen auf einen Apéro?

  a In einer Bar in der Stadtmitte.
  b In ihrem Wohnort, außerhalb der Stadt.
  c Am Bahnhof, bevor sie nach Hause fährt.

zu Schreiben, S. 24, Ü2

15 Eine Einladung ablehnen 🖳 ÜBUNG 17, 18   SCHREIBEN

a Lesen Sie die folgende Einladung von Anne und Jonas. Was ist richtig? Markieren Sie.

1 Was feiern Anne und Jonas?
- a Renovierung ihrer Wohnung
- b Eröffnung ihrer Tanzbar
- c Einzug in ihre Wohnung

2 Die Gäste sollen …
- a helfen, Kisten auszupacken.
- b Kleinigkeiten in der Wohnung machen.
- c für Essen oder Getränke sorgen.

| | Ich nehme teil | Vielleicht | Nein |

Einweihung bei Anne und Jonas!

Zeit	Samstag, 10. Februar, ab 20 Uhr
Ort	Herzogstraße 17 – 51667 KÖLN
Erstellt von	Queerbeat
Weitere Informationen	Endlich: Wir ziehen ein! Bitte helft uns feiern. Die Kisten sind zwar noch nicht alle ausgepackt. Dafür ist noch genug Platz zum Tanzen. Es wäre toll, wenn Ihr eine Kleinigkeit mitbringen würdet. Egal, ob etwas zu essen oder eine Flasche von was Gutem ;–)
Also bitte gleich zusagen! Und bitte schreibt noch, was Ihr mitbringen werdet.

Noch Fragen?
Mobil: 0171 345 618 |

4 Zusagen

- Carmen Leonhard
- Michael Feuerlein
- Lukas Klepp
- Leonie Bergmann

1 Absage

- Bärbel Schnauf

Carmen Leonhard
Klingt gut, ich komme gern! … mit meinem berühmten Nudelsalat ☺ LG Carmen

Lynn Berger
bin auf 'ner Hochzeit auf dem Land, wie schade … ☹

Heinz Wanischek
Ich kann leider nicht … !

Michael Späth
bin in Spanien … gibt's einen Livestream?

b Lesen Sie Bärbels Antwort. Was passt? Markieren Sie.

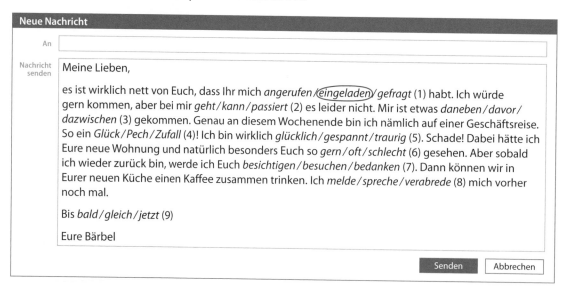

Neue Nachricht

| An | |
| Nachricht senden | Meine Lieben,

es ist wirklich nett von Euch, dass Ihr mich *angerufen/(eingeladen)/gefragt* (1) habt. Ich würde gern kommen, aber bei mir *geht/kann/passiert* (2) es leider nicht. Mir ist etwas *daneben/davor/dazwischen* (3) gekommen. Genau an diesem Wochenende bin ich nämlich auf einer Geschäftsreise. So ein *Glück/Pech/Zufall* (4)! Ich bin wirklich *glücklich/gespannt/traurig* (5). Schade! Dabei hätte ich Eure neue Wohnung und natürlich besonders Euch so *gern/oft/schlecht* (6) gesehen. Aber sobald ich wieder zurück bin, werde ich Euch *besichtigen/besuchen/bedanken* (7). Dann können wir in Eurer neuen Küche einen Kaffee zusammen trinken. Ich *melde/spreche/verabrede* (8) mich vorher noch mal.

Bis *bald/gleich/jetzt* (9)

Eure Bärbel |

| | Senden | Abbrechen |

c Anne und Jonas haben Sie auch zur Party eingeladen, aber Sie haben leider keine Zeit.

Schreiben Sie an Anne und Jonas. Entschuldigen Sie sich und erklären Sie, warum Sie nicht kommen können. Schreiben Sie circa 40 Wörter. Denken Sie an die Anrede und die Grußformel am Schluss.

zu Schreiben, S. 24, Ü2

16 Kurz-Mitteilungen verstehen 🖥 ÜBUNG 19   LESEN

Nummerieren Sie: In welcher Mitteilung lesen Sie, dass der Verfasser …

zu einem besonderen Geburtstag einlädt? ☑
auf eine Entschuldigung reagiert? ☐
die Einladung annimmt? ☐
eine Unterkunft sucht? ☐
Probleme mit dem Verkehr hat? ☐
sich nach der Party bedankt? ☐
um Geschenke bittet. (aus Spaß!) ☐

1

Traurig aber wahr: Ich werde 30! Wer jammert mit? Kommt doch bitte am Samstag um
20 Uhr zu mir in die Schillerstraße 20. Für Essen, Getränke und gute Musik sorge ich.
Ihr braucht nichts mitzubringen (außer wertvollen Geschenken!) *g*
Schreibt eine E-Mail an meine Büroadresse, SMS geht auch, damit ich weiß, ob Ihr
kommt.
BD Klaus

2

Mensch, Klaus, nach sechs Jahren… schön,
mal wieder von Dir zu hören. Mein Mann –
Robert – und ich kommen gern! Wir sind
sowieso unterwegs in den Sommerurlaub.
Kommen praktisch bei Dir vorbei. Kannst
Du für uns Zimmer oder Bett besorgen?
LG Julia

3

10 km Stau. Mist!
Sry! Bitte nicht
auf uns warten.
HDL Julia

4

Kein Problem.
Haben mit
der Feier
angefangen.
bd K

5

Robert + ich bedanken
uns für das super
Fest. Toll, die alten
Freunde zu sehen…
Besuch uns bald in
Berlin. Gute Idee?
LG Julia

zu Schreiben, S. 24, Ü2

17 Einladung zum Junggesellinnen-Abschied 🖥 ÜBUNG 20, 21   SCHREIBEN

a   Patrizia heiratet. Karin ist zu ihrer Feier am Abend vor der Hochzeit, dem Junggesellinnen-
Abschied, eingeladen. Korrigieren Sie in Karins E-Mail die unterstrichenen Stellen.

Korrektur

Liebe Patrizia,

vielen Dank für Eure nette Einladung!
Ich habe mich sehr darauf gefreut und komme gern. Ich möchte
gern mit Dir zu feiern.
Nur noch Frage: Was will ich mitbringen und wo treffen wir sich?
Schreib mir das bitte bald auf meine alte Adresse.
Ich gratuliere Euch schon jetzt von ganzem Herzen für die Hochzeit.
Einen dicken Kuss an Euch beide.

Ihre Karin

Deine

b   Nach dem Junggesellinnen-Abschied bedankt sich Karin. Bringen Sie die E-Mail an die Freundin in die richtige Reihenfolge.

> Liebe Patrizia,
>
> ( ) Als Erstes fand ich es natürlich spitze, dass auch einige unserer Freundinnen aus der Schulzeit da waren.
>
> ( ) Außerdem war es auch schön, einmal Deine ganzen Freundinnen kennenzulernen.
>
> ( ) Herzliche Grüße
>
> ( ) Lass bitte nicht wieder so eine lange Zeit vergehen.
>
> ( ) Dieser Abend gehört sicher zu meinen ganz persönlichen Höhepunkten in diesem Jahr.
>
> (1) ich möchte mich noch einmal herzlich für das tolle Fest bedanken: Danke, dass Du mich dazu eingeladen hast.
>
> ( ) Mensch, haben sich manche verändert!
>
> ( ) Jetzt hoffe ich, dass Du mich auch bald in Berlin besuchst.
>
> ( ) Ich habe sogar mit Petra gelacht, kannst Du Dir das vorstellen? Früher haben wir uns doch gar nicht gemocht.
>
>
>
> Karin
>
> PS: Ich habe einen Schnappschuss von uns eingefügt! ☺

zu Wortschatz, S. 25, Ü1

18 Partys, Feste, Feiern

WORTSCHATZ

Welches Wort passt? Ordnen Sie zu.

☐ Abschiedsfeier/-fest/-party   ☐ Trauerfeier   ☐ Grillparty/-fest
☐ Familienfeier/-fest   ☐ Stadtfest   ☐ Filmfest   ☑ Weinfest

1 Bei diesem Fest steht ein besonderes alkoholisches Getränk im Mittelpunkt.
2 Bei diesem Fest feiern Bewohner von einem Ort zusammen, meistens im Zentrum oder auf einem schönen Platz.
3 Dazu zählen zum Beispiel Weihnachten oder Geburtstag.
4 Dieses Fest findet meistens im Garten statt. Es gibt Würstchen, Steaks und viele Salate.
5 Dieses Fest gibt es in manchen Städten einmal pro Jahr. Die Besucher gehen ins Kino und zu Veranstaltungen, auf denen sie Stars treffen können.
6 Auf diese Party kommen Freunde und Kollegen von einer Person, die bald weggeht. Sie wollen ihr auf Wiedersehen sagen.
7 Wenn jemand gestorben ist, gibt es eine …

LEKTION 2

zu Wortschatz, S. 25, Ü2

19 Partyorganisation 🖥 ÜBUNG 22

WORTSCHATZ

Welches Wort passt? Ordnen Sie zu.

1 Zu einer Abschlussfeier	*einladen*
2 Einen runden Geburtstag	_____
3 Eine schriftliche Einladung	_____
4 Sich für das Geschenk	_____
5 Zum Geburtstag	_____
6 Den Tisch für das Essen	_____
7 Die Gäste an der Tür	_____
8 Etwas zu essen und zu trinken	_____
9 Sich über eine Überraschung	_____
10 Eine gute Atmosphäre	_____

(einladen) · gratulieren · tanzen
feiern · einladen · begrüßen
freuen · sorgen · verschicken
bedanken · verschicken · mitbringen
begrüßen · gratulieren · decken
decken · sorgen · mitbringen
bedanken · begrüßen · besorgen
mitbringen · decken · schaffen
organisieren · besorgen · freuen
schaffen · sorgen · besorgen

zu Wortschatz, S. 25, Ü2

20 Etwas höflicher, bitte! 🖥 ÜBUNG 23

KOMMUNIKATION

a **Welcher Satz ist besonders höflich? Markieren Sie.**

1 Sie bekommen etwas serviert, was Sie nicht mögen.
☐ Ich trinke überhaupt keinen Alkohol. Geben Sie mir bitte etwas anderes zu trinken.
☒ Ich würde ja gern ein Glas mittrinken, aber leider trinke ich keinen Alkohol.
  Könnte ich bitte einen Saft haben?

2 Sie möchten noch etwas Wasser haben.
☐ Ich brauche ein Glas Wasser.
☐ Könnte ich bitte ein Glas Wasser haben?

3 Sie müssen einen dringenden Anruf erledigen.
☐ Ich muss mal telefonieren. Dürfte ich mal Ihr Handy benutzen?
☐ Ich muss mal telefonieren. Kann ich mal Ihr Handy haben?

4 Sie müssen vor Ende der Feier nach Hause.
☐ Ich muss leider jetzt schon gehen. Mein Bus fährt in einigen Minuten.
☐ Ich gehe jetzt. Mein Bus fährt in einigen Minuten.

b **Formulieren Sie höfliche Bitten.**

> Könnten Sie bitte ...? / Könntest du bitte ...? · Dürfte
> ich Sie bitten, zu ...? / Dürfte ich dich bitten, zu ...? ·
> Würden Sie bitte ...? / Würdest du bitte ...? · Wäre es
> möglich, dass Sie/du ...?

1 Jakob: Verschick die Einladungen. *Jakob, könntest du bitte die Einladungen verschicken?*
2 Henry: Organisier doch bitte eine Musikanlage. _____
3 Herr Kunert: Dekorieren Sie den Raum. _____
4 Herr Gerber: Besorgen Sie die Getränke. _____
5 Frau Stein: Wählen Sie einen Sitzplatz. _____
6 Rita: Räum auf. _____

c **Wählen Sie drei Bitten aus b und reagieren Sie.**
  Verwenden Sie die Redemittel aus dem Kursbuch S. 25.

_____
_____
_____

LEKTION 2

zu Sehen und Hören, S. 26, Ü2

21 Oktoberfest in München 🖥 ÜBUNG 24

WORTSCHATZ

Welche Aussagen sind richtig (R), welche falsch (F)? Lesen Sie den Text und markieren Sie.

Das Oktoberfest findet einmal im Jahr auf der Theresienwiese statt. Es erinnert an das Hochzeitsfest von König Ludwig I. von Bayern mit Prinzessin Therese von Sachsen-
5 Hildburghausen im Jahr 1810.
Das zweiwöchige Volksfest beginnt immer am Samstag nach dem 15. September: Das Ende des Festes ist der erste Sonntag im Oktober. Ist der 1. oder 2. Oktober ein Sonntag,
10 geht das Fest bis zum „Tag der Deutschen Einheit" am 3. Oktober. Die Bierzelte sind täglich von 11 Uhr bis 23 Uhr geöffnet. Das Oktoberfest gilt als das größte Volksfest der Welt. Jährlich kommen mehr als sechs Millionen Besucher. Die Münchner Hotels sind in diesen Wochen ausgebucht.
15 Für 100 000 Personen gibt es in den Bierzelten Sitzplätze. Jährlich arbeiten etwa 12 000 Personen auf der „Wiesn", davon sind 1600 Kellner. Der Bierkonsum erreicht Jahr für Jahr neue Rekorde, obwohl der Preis pro Maß Bier in jedem Jahr um ungefähr vier Prozent steigt. Während des letzten Oktoberfestes wurden rund 60 000 Hektoliter Bier getrunken, 500 000 gebratene Hühner, 100 ganze Ochsen und 43 000 Schweinshaxen gegessen.

	R	F
1 Das größte Volksfest der Welt ist in der Schweiz.	☐	☒
2 König Ludwig I. und seine Frau Therese haben auf der Theresienwiese geheiratet.	☐	☐
3 Das Münchner Oktoberfest findet jährlich Ende September statt.	☐	☐
4 Die Bierzelte sind 12 Stunden am Tag geöffnet.	☐	☐
5 Seit es das Oktoberfest gibt, waren sechs Millionen Besucher dort.	☐	☐
6 In den Bierzelten arbeiten 12 000 Personen als Kellner.	☐	☐
7 Es wird in den letzten Jahren weniger Bier getrunken.	☐	☐
8 Auf dem Oktoberfest gibt es viele bayrische Spezialitäten.	☐	☐

22 Erinnerung an ein Fest

MEIN DOSSIER

Wählen Sie ein privates Fest, zu dem Sie eingeladen waren. Zum Beispiel eine Kursabschlussparty, eine Geburtstagsparty oder ein ähnliches Fest. Oder berichten Sie von einem Fest wie dem Oktoberfest. Kleben Sie hier ein Foto oder eine Einladung davon ein. Schreiben Sie ein paar Sätze dazu.

- Wo war das Fest?
- Wann waren Sie dort? Jahreszeit, Datum, Uhrzeit, …
- Was hatten die Gäste an? Und Sie?
- Was hat es zu essen und zu trinken gegeben?
- Wie ist das Fest abgelaufen?

Unsere letzte Kursabschlussfeier war im Februar. Wir haben bei unserer Lehrerin Gabi gefeiert. Das Fest …

LEKTION 2

AUSSPRACHE: Die Vokale *u – ü – i*

1 Wortpaare *u – ü*

CD1 15 **a** Hören Sie einige Wortpaare. Ergänzen Sie das zweite Wort des Paares.

u – ü		ü – u	
jung –	*jünger*	würde –	_____
dumm –	_____	pünktlich –	_____
kurz –	_____	Grüße –	_____
durfte –	_____	Füße –	_____
muss –	_____	wüsste –	_____

b Sprechen Sie diese Paare reihum.

2 *i* oder *ü*?

CD1 16 **a** Welches Wort hören Sie? Markieren Sie.

1 ☐ für	☐ vier	6 ☐ Küche	☐ Kirche
2 ☐ Gefühl	☐ gefiel	7 ☐ küssen	☐ Kissen
3 ☐ Glück	☐ Klick	8 ☐ Tür	☐ Tier
4 ☐ Flüge	☐ Fliege	9 ☐ spülen	☐ spielen
5 ☐ lügen	☐ liegen	10 ☐ Küste	☐ Kiste

b Bilden Sie einen Satz mit möglichst vielen Wörtern aus a.
Schreiben Sie den Satz auf einen Zettel und geben Sie den Zettel weiter an Ihre
Lernpartnerin / Ihren Lernpartner. Diese/Dieser liest den Satz laut vor.

3 Zungenbrecher

CD1 17 Hören Sie die Zungenbrecher erst langsam,
dann immer schneller. Sprechen Sie dann nach.

3 *Gudruns Truthuhn tut gut ruhn,
gut ruhn tut Gudruns Truthuhn!*

1 *Es grünt so grün,
wenn Spaniens Blüten blühen.*

2 *Müller Lümmer frühstückt
schüsselweise grünes Gemüse.*

4 Selbstkontrolle

CD1 18 Hören Sie die folgenden Sätze. Sprechen Sie sie nach. Nehmen Sie sich auf und vergleichen Sie
Ihre Aussprache mit der Aussprache auf der CD. Wo hören Sie Unterschiede?

- Viel Vergnügen!
- Was für eine Überraschung!
- Hübsche Frisur!
- Würden Sie mir bitte ein Stück Kuchen geben?

LEKTION 2 LERNWORTSCHATZ

SEITE 19 EINSTIEG

beschreiben* _____

blass _____

schick _____

schlank _____

SEITE 20 HÖREN

die Begrüßung, -en _____

kritisieren _____

(sich) verspäten _____

formell / informell _____

höflich _____

pünktlich _____

eigentlich _____

SEITE 21 SPRECHEN 1

die Atmosphäre (Sg.) _____

der (Opern)ball, ⁀e _____

die Wahl, -en _____

ablehnen _____

annehmen* _____

bitten um (+ Akk.)* _____

nennen* _____

stören _____

vorhaben* _____

festlich _____

entspannt _____

SEITE 22–23 LESEN

die Abteilung, -en _____

der Betrieb, -e _____

das Gebirge, - _____

der Junggeselle, -n _____

die Junggesellin, -nen _____

die Kantine, -n _____

die Maß (Sg.) _____

der Schritt, -e _____

die Überraschung, -en _____

die Wiese, -n _____

der Wirt, -e _____

das Zelt, -e _____

sich bedanken für (+ Akk.) _____

sich bedanken bei (+ Dat.) _____

denken* an (+ Akk.) _____

einladen* zu (+ Dat.) _____

folgen _____

fragen nach (+ Dat.) _____

sich freuen auf (+ Akk.) _____

sich freuen über (+ Akk.) _____

gratulieren zu (+ Dat.) _____

helfen* bei (+ Dat.) _____

hoffen auf (+ Akk.) _____

sich kümmern um (+ Akk.) _____

mitteilen _____

organisieren _____

schicken an (+ Akk.) _____

schreiben* an (+ Akk.) _____

senden an (+ Akk.) _____

sorgen für (+ Akk.) _____

suchen nach (+ Dat.) _____

(sich) überlegen _____

(sich) verabschieden von (+ Dat.) _____

warten auf (+ Akk.) _____

besonderer / besonderes / besondere _____

gemeinsam _____

politisch _____

vielfach _____

zahlreich _____

möglichst _____

LEKTION 2 LERNWORTSCHATZ

die Abkürzung, -en _____

die Diskussion, -en _____

(sich) beschäftigen mit (+ Dat.) _____

beschäftigt sein* _____

klappen _____

(sich) melden bei (+ Dat.) _____

reagieren _____

schieben* _____

sich verabreden mit (+ Dat.) _____

weg _____

SEITE 25 WORTSCHATZ

die Anlage, -n _____

die Bar, -s _____

die Fläche, -n _____

die Tätigkeit, -en _____

begrüßen _____

besorgen _____

schaffen _____

vorbereiten _____

zusammenstellen _____

ungewöhnlich _____

SEITE 26 SEHEN UND HÖREN

der Abschnitt, -e _____

der Bierkrug, ̈e _____

das Bierzelt, -e _____

die Brezel, -n _____

die Gemütlichkeit (Sg.) _____

die Kapelle, -n _____

das Karussell, -s _____

der Lebkuchen, - _____

das Volk, ̈er _____

das Volksfest, -e _____

das Zeichen, - _____

gemütlich _____

SEITE 27 SPRECHEN 2

die Daten (Pl.) _____

die Einzelheit, -en _____

die Erfahrung, -en _____

die Präsentation, -en _____

das Publikum (Sg.) _____

der Vortrag, ̈e _____

erleben _____

recherchieren _____

typisch _____

WELCHE WÖRTER MÖCHTEN SIE NOCH LERNEN?

_____

_____

_____

_____

_____

_____

_____

_____

LEKTIONSTEST 2

1 Wortschatz

a Was ist richtig? Markieren Sie.

1 die Gäste *annehmen / verabschieden / gratulieren*
2 die Gästeliste *einladen / überlegen / zusammenstellen*
3 die Geschenke *leihen / öffnen / melden*
4 eine Musikanlage *sorgen / besorgen / erleben*
5 besonderes Essen *anbieten / beschäftigen / vorhaben*
6 einen Geburtstagsgruß *verschicken / mitbringen / nennen*

Je 1 Punkt   **Ich habe** _____ **von 6 möglichen Punkten erreicht.**

b Ordnen Sie zu.

1 Gäste zu einer _____ einladen
2 eine _____ annehmen oder ablehnen
3 sich für ein _____ bedanken
4 für eine gute _____ sorgen
5 das _____ vorbereiten

Einladung · Atmosphäre · Feier · Essen · Geschenk

Je 1 Punkt   **Ich habe** _____ **von 5 möglichen Punkten erreicht.**

2 Grammatik

a Was ist richtig? Ergänzen Sie.

1 ● Sind wir hier _____ richtig? (eigentlich / mal)
2 ■ Ich glaube, ja. Hier steht es _____: Schustermann. (denn / doch)
3 ■ Wie viel Uhr ist es _____? (denn / doch) Schau bitte _____ auf die Uhr. (eigentlich / mal) Ich glaube, wir sind echt spät dran.
4 ● Naja, der Bus kam _____ so spät. (mal / ja)
   Normalerweise kommt der _____ um sieben nach acht. (doch / mal)
5 ■ Ach was, der war _____ ganz pünktlich. (denn / doch)
   Du hast _____ wieder ewig gebraucht. (eigentlich / mal)

Je 1 Punkt   **Ich habe** _____ **von 8 möglichen Punkten erreicht.**

b Ergänzen Sie die Präpositionen und Artikel.

1 Benni hat sich wirklich total _____ _____ Einladung gefreut.
2 Evi hat sich schon _____ _____ Geschenk bedankt.
3 Ich wollte dich _____ dein_____ Hilfe bitten.
4 Ich suche _____ mein_____ roten Schuhen. Hast du sie gesehen?
5 Ich möchte gern _____ dies_____ Kurs teilnehmen. Er interessiert mich total.

Je 0,5 Punkte   **Ich habe** _____ **von 5 möglichen Punkten erreicht.**

3 Kommunikation

Formulieren Sie höflicher.

1 Frau Winter, besorgen Sie das Essen.
2 Paul, organisier die Getränke.
3 Julia, stell die Musik für den Abend zusammen.
4 Kurt, schieb die Musikanlage in die Ecke.
5 Herr Meier, begrüßen Sie die Gäste.
6 Eva, räum den Partyraum auf.

Je 1 Punkt   **Ich habe** _____ **von 6 möglichen Punkten erreicht.**

Auswertung: Vergleichen Sie Ihre Lösungen mit S. 134.
Ihre Erfolgspunkte tragen Sie unter jeder Aufgabe ein.

Ich habe _____ **von 30 möglichen Punkten erreicht.**

☺	☺	☹
30–26	25–15	14–0

LEKTION 3 UNTERWEGS

1 Auf Reisen 💻 ÜBUNG 1

a Finden Sie noch 17 Wörter rund ums Reisen. Markieren Sie.

H	D	G	E	P	A	E	C	K	E	W	F	Z	X	B
A	G	P	W	H	R	K	O	V	I	U	E	E	T	P
L	S	U	T	O	N	B	I	B	S	C	H	I	F	F
B	E	R	B	T	M	U	M	O	E	H	R	N	L	A
P	D	T	P	E	N	S	I	O	N	C	R	Z	U	E
E	E	J	H	L	E	G	A	T	B	O	A	E	G	H
N	T	O	U	R	I	S	T	I	A	T	D	L	Z	R
S	J	O	Q	A	M	R	K	E	H	K	H	Z	E	E
I	R	E	Z	E	P	T	I	O	N	L	R	I	U	S
O	F	O	T	O	A	P	P	A	R	A	T	M	G	T
N	X	Z	E	L	T	J	U	B	A	G	T	M	N	A
R	A	U	T	O	L	Z	M	K	O	F	F	E	R	I
I	G	G	P	I	P	A	S	S	N	V	E	R	R	J
Q	J	U	G	E	N	D	H	E	R	B	E	R	G	E

b Ordnen Sie die Begriffe aus a zu und ergänzen Sie weitere Wörter, die Sie kennen.

Hier kann ich übernachten:	
Damit verreise ich:	
Das gibt es im Hotel:	Tourist
Das nehme ich mit:	

---

zu Hören, S. 30, Ü2

2 Vermutungen mit *wohl, sicher, …*   GRAMMATIK

Antworten Sie auf die Fragen mit *wohl, sicher, wahrscheinlich, eventuell, vermutlich* oder *vielleicht*.

1 Was wollt ihr dieses Jahr im Urlaub machen? (Nordsee fahren)
  Dieses Jahr fahren wir wohl an die Nordsee.

2 Wo wollt ihr übernachten? (auf dem Campingplatz)

3 Habt ihr ein Zelt? (von Christian leihen)

4 Fährt noch jemand mit? (Paul und Lisa)

5 Schreibst du mir eine Postkarte? (keine Zeit haben)

---

zu Hören, S. 30, Ü2c

3 Vermutungen mit *werden + wohl, sicher, … + Infinitiv* 💻 ÜBUNG 2, 3   GRAMMATIK

Was machen die Leute wohl? Was meinen Sie?
Ordnen Sie zu und schreiben Sie Vermutungen.

> an einen See fahren · sich lange nicht sehen ·
> eine Wanderung in den Bergen machen · seine
> Freundin vom Bahnhof abholen · ~~zum Surfen gehen~~

1 Er *wird wohl zum Surfen gehen.*
2 Die Familie _____
3 Sie _____
4 Die beiden _____
5 Er _____

zu Wussten Sie schon?, S. 30

4 Mobilität in Großstädten

LANDESKUNDE / LESEN

a Lesen Sie die Texte und ordnen Sie die Überschriften zu.

1 Schnell und flexibel mit dem Fahrrad durch die Stadt
2 Umweltbewusstsein nimmt zu
3 Öffentliche Verkehrsmittel machen es möglich
4 Mit dem Auto mobil

Mobilität in Großstädten

3 In großen Städten, wie Wien, Berlin oder Zürich pendeln täglich viele Menschen zur Arbeit und benutzen die U-Bahn, den Bus, die Bahn oder die Tram (in der Schweiz: das Tram). Das geht schnell und man kann die Zeit für andere Dinge nutzen, z. B.
5 Zeitung lesen, Musik hören oder erste E-Mails bearbeiten. Deshalb ist das Netz an öffentlichen Verkehrsmitteln gut ausgebaut. Während in den großen Städten von Deutschland und Österreich die U-Bahn eine große Rolle spielt, fahren in Zürich die meisten Leute mit der Tram. Das Züricher
10 Trambahnnetz gilt als eines der besten europaweit.

☐ Auch aus ökologischen Gründen lassen immer mehr Leute das Auto stehen und steigen auf öffentliche Verkehrsmittel um. Die Wiener beispielsweise legen immer mehr Wege mit Bus, U-Bahn, Bahn und Bim (umgangssprachlich für „Straßenbahn" in Österreich) zurück. Laut Wiener Linien sind öffentliche
15 Verkehrsmittel beliebter als das Auto.

☐ In vielen Städten gibt es sogar ein neues Mietsystem von Autos, das sich in den letzten Jahren bewährt hat. Man muss sich nur ein einziges Mal registrieren und bekommt dann einen Chip.
20 Damit kann man – auch spontan, ohne Voranmeldung – in ein Auto einsteigen und losfahren. Natürlich darf man das Auto auch einfach irgendwo wieder abstellen. Fragen, wie „Wann kommt eigentlich der nächste Bus?" oder „Lohnt sich überhaupt ein Auto, wenn ich es nur selten benutze?" braucht man sich
25 nicht mehr zu stellen.

☐ Wer die Stadt lieber mit dem Fahrrad erkunden möchte, findet in vielen Städten auch Fahrradstationen, wo man gegen Gebühr Räder ausleihen kann. Das System funktioniert ähnlich wie bei den Autos. Per Handy anmelden, die PIN eingeben, das Schloss
30 entriegeln und los geht's! Ob mal kurz zum Shoppen oder zum Picknick an den See – das System ist einfach und praktisch. Nicht nur Touristen, sondern auch viele Einheimische nutzen dieses Angebot.

b Richtig (R) oder falsch (F)? Markieren Sie.

	R	F
1 In Zürich fahren die meisten Leute U-Bahn.	☐	☐
2 Immer mehr Leute in Wien fahren mit dem Auto.	☐	☐
3 Man kann in vielen Städten Autos oder Fahrräder auch für kurze Zeit mieten.	☐	☐
4 Man muss sie aber auf jeden Fall rechtzeitig reservieren.	☐	☐

zu Wortschatz, S. 31, Ü2b

5 Vorsilben 🖥 ÜBUNG 4, 5, 6   WORTSCHATZ

CD C19   Ergänzen Sie die Vorsilben. Hören Sie dann und vergleichen Sie.

> ab • an • aus • auf • auf • ab • weg •
> ein • hin • ab • her • weg • ~~ver~~

Das fängt ja schon gut an …

Letzten Sommer bin ich wie jedes Jahr mit Tami __ver__ reist (1).
Kurz bevor wir _____ gereist (2) sind, musste ich noch viel erledigen. Ich bin die ganze Zeit in der
Wohnung hin- und _____ gerannt (3) – _____ räumen (4), das Altpapier _____ bringen (5),
noch den Schlüssel bei den Nachbarn _____ geben (6). Tami war wie immer pünktlich, aber ich
war natürlich noch nicht fertig, als sie mich _____ geholt (7) hat. In letzter Sekunde habe ich
meinen Bikini _____ gepackt (8). Danach habe ich noch meinen Pass gesucht. Ich wusste einfach
nicht mehr, wo ich ihn _____ gelegt (9) hatte. Typisch! Dann mussten wir mit dem ganzen Gepäck
zur S-Bahn rennen und am S-Bahnhof ist die Bahn direkt vor unserer Nase _____ gefahren (10).
Dort mussten wir wieder 20 Minuten auf die nächste warten. Als wir endlich am Flughafen
_____ gekommen (11) sind, waren sehr viele Leute am Schalter. Bei der Kontrolle mussten wir
auch noch unsere Koffer _____ machen (12) und _____ packen (13). Puh! Das war vielleicht
ein Stress. Und dann hatte unser Flug auch noch zwei Stunden Verspätung.

zu Wortschatz, S. 31, Ü2b

6 *Fahren, gehen* oder *laufen*? 🖥 ÜBUNG 7, 8   WORTSCHATZ

Ergänzen Sie die Verben *fahren, gehen* oder *laufen* in der richtigen Form.
Manchmal passen auch mehrere Verben.

1 ● Hallo Dennis! Wie __läuft__ es denn bei dir in der Arbeit?
  ■ Es _____ so. Aber Ende des Jahres müssen leider fünf Mitarbeiter _____ .
2 ● Ich _____ im Sommer für ein Jahr nach Wien. Vorher will ich aber noch einmal zu
  meinen Großeltern nach Bremen _____ .
3 ◆ Wie alt ist denn die Tochter von Klara jetzt?
  ■ Lilli? Die ist gestern ein Jahr geworden und hat gerade _____ gelernt.
4 ● Kannst du mal schauen, wann der erste Zug morgens von Berlin nach Köln _____ ?
  ■ Tut mir leid, das _____ leider nicht. Mein Computer _____ gerade nicht.

zu Wortschatz, S. 31, Ü2c

7 *Rein – raus – runter …* 🖥 ÜBUNG 9   WORTSCHATZ

Ergänzen Sie.

| 1 | 2 | 3 | 4 | 5 |

1 Ach! Wie soll ich das alles noch _____ bringen?
2 Komm _____ . Hier ist so eine tolle Aussicht.
3 Was für ein Wetter. Ich möchte gar nicht _____ gehen.
4 Komm _____ ! Es ist ganz einfach. Außerdem kannst du doch schwimmen.
5 Wie kommen wir jetzt wieder _____ ?

zu Sprechen 1, S. 32, Ü2

8 Urlaubspläne

HÖREN

🎧 ⟨20⟩   Ordnen Sie die Verben zu. Hören Sie dann und vergleichen Sie.

> meinst • Klingt • ist • schlage • machen •
> glaube • ~~hältst~~ • möchtest • wäre • schlägst

- ● Was ___hältst___ (1) du davon, wenn wir dieses Jahr mal wieder einen richtig schönen Urlaub machen?
- ■ _____ (2) gut, aber wohin? Was _____ (3) du vor?
- ● Also, _____ (4) du denn mit mir in die Wüste fahren?
- ■ In die Wüste? Na ja. Das _____ (5) mir ehrlich gesagt nicht so recht. Das ist zu riskant und gefährlich.
- ● Okay. Dann _____ (6) ich vor, dass wir dieses Jahr einen Badeurlaub machen.
- ■ Ich weiß nicht, _____ (7) du nicht, wir sollten mal wieder einen Städteurlaub machen? Wie _____ (8) es, wenn wir wieder zusammen nach New York fliegen?
- ● New York? Ich _____ (9), diesmal eher nicht. Da waren wir doch erst vor drei Jahren.
- ■ Na, dann bleiben wir zu Hause.
- ● Gute Idee. Das _____ (10) wir!

zu Sprechen 1, S. 33, Ü2c

9 Verrückte Vorschläge 💻 ÜBUNG 10, 11

KOMMUNIKATION

a   Paul macht seinen Freunden Vorschläge. Schreiben Sie.

> ~~zum Mond fliegen~~ • mit dem Kamel durch die Wüste reiten • von Spanien nach Afrika schwimmen • mit dem Hausboot auf dem Nil fahren • eine Safari machen • zwei Wochen durch den Dschungel wandern • …

Wie wäre es, wenn wir zum Mond fliegen würden?
Was …

b   Ergänzen Sie die Reaktionen der Freunde.
Verwenden Sie die Redemittel aus dem Kursbuch S. 32.

Ich glaube, diesmal eher nicht.

Martin hat noch Fragen.

Klingt spannend, aber …

Lena lehnt ab.

Aber Marlene ist einverstanden!

LEKTION 3

————————————————————————— WIEDERHOLUNG GRAMMATIK

zu Lesen, S. 35, Ü3

10 Reisewörter

Was passt zusammen? Verbinden Sie und ergänzen Sie die Tabelle.

1	2	3	4	5	6	7
d						

1 Ein Reisebüro ist ein Büro,
2 Reisegepäck sind Koffer oder Taschen,
3 Ein Reiseführer ist ein Buch,
4 Eine Hochzeitsreise ist eine Reise,
5 Eine Jugendherberge ist eine Unterkunft,
6 Reiselustig ist eine Person,
7 Ein Reisetagebuch ist ein Buch oder Heft,

a in dem Tipps zu Sehenswürdigkeiten stehen.
b in der/wo vor allem junge Leute auf einer Reise übernachten.
c die ich nach meiner Hochzeit mache.
d in dem/wo ich Reisen buchen kann.
e in das ich meine Erlebnisse schreibe.
f die ich auf eine Reise mitnehme.
g die gern reist.

zu Lesen, S. 35, Ü3

11 Relativsätze ÜBUNG 12, 13, 14

GRAMMATIK ENTDECKEN

3

a **Lesen Sie die Sätze und markieren Sie die Relativpronomen.**

In den Ferien brauche/genieße/liebe ich ...
- eine Unterkunft, die gemütlich ist.
- Essen, das anders schmeckt als daheim.
- Leute, die nett sind.
- einen Strand, der sauber ist.
- ein gutes Buch, das ich am Strand lesen kann.
- Natur, die ich genießen kann.
- einen Fotoapparat, den ich jeden Tag mitnehme, um alles zu fotografieren.
- Erlebnisse, die ich nie vergessen werde.
- eine Stadt, deren Bewohner gastfreundlich sind.
- ein Hotel, dessen Restaurant regionale Spezialitäten anbietet.

Und nach dem Urlaub treffe ich ...
- meinen Freund, dem ich alle Fotos zeige.
- meine Freundin, der ich alles über den Urlaub erzähle.
- meine Freunde, denen ich schöne Souvenirs mitgebracht habe.

b **Ordnen Sie die Relativpronomen in die Tabelle ein.**

	Nominativ	Akkusativ	Dativ	Genitiv
maskulin				dessen
neutral			dem	
feminin	die			
Plural				deren

41

LEKTION 3

zu Lesen, S. 35, Ü3

12 Relativsätze mit Präpositionen 🖳 ÜBUNG 15 GRAMMATIK

a Ergänzen Sie die Präpositionen *auf, an, von, über.*

1 Der Flug über die Alpen war ein Erlebnis, ___von___ dem ich noch jahrelang <u>träume</u>.
2 Ich mache bald eine Weltreise, _____ die ich mich total freue.
3 Karla hat mir eine Postkarte aus Indonesien geschickt, _____ die ich mich total gefreut habe.
4 Das Reisebüro bietet eine günstige Busreise nach Wien an, _____ der ich auf jeden Fall teilnehmen werde.
5 Die Reise nach Südamerika, _____ der ich dir schon so viel erzählt habe, war wirklich schön.
6 Mit dem Kamel durch die Wüste zu reiten, war eine Erfahrung, _____ die ich mich mein Leben lang erinnern werde.
7 Dort hatte ich Erlebnisse, _____ die ich sehr oft denke.

b Markieren Sie die Präpositionen, Relativpronomen und Verben.

c Ergänzen Sie nun die Verben in der Tabelle.

mit Akkusativ	mit Dativ
sich freuen auf	träumen von

zu Lesen, S. 35, Ü3

13 Rund ums Reisen GRAMMATIK

Ergänzen Sie die Präpositionen und die Relativpronomen.

1 In Madrid mache ich einen Spanischkurs, __an dem__ auch mein Partner teilnimmt.
2 Das war ein Urlaub, _____ ich mich mein Leben lang erinnern werde.
3 Praktisch sind Handys, _____ man Bahnkarten bargeldlos bezahlen kann.
4 Indien ist ein Reiseland, _____ ich schon immer träume.
5 Jan, _____ ich mich am Bahnhof treffen wollte, kam wie immer zu spät.
6 Ich habe heute die Flüge, _____ ich mich kümmern sollte, gebucht.

zu Lesen, S. 35, Ü3

14 So schöne Ferien! 🖳 ÜBUNG 16, 17, 18 GRAMMATIK

Ergänzen Sie die Relativpronomen und die Präpositionen, wo nötig.

Ich erinnere mich gern an ...
den Urlaub, ___den___ (1) wir im Internet gebucht haben.
_____ (2) so aufregend war.
_____ (3) wir so viele schöne Erlebnisse hatten.
_____ (4) ich dir die Fotos gezeigt habe.

die Pension, _____ (5) direkt am Strand lag.
_____ (6) schon Brad Pitt gewohnt hat.
_____ (7) ich heute noch gern denke.
_____ (8) Zimmer so gemütlich waren.

das Meer, _____ (9) so klar und sauber war.

_____ (10) Wasser so blau war.

_____ (11) wir jeden Tag geschwommen sind.

_____ (12) ich so viele schöne Fotos gemacht habe.

die Leute, _____ (13) ich auf Mallorca kennengelernt habe.

_____ (14) ich so viel Spaß hatte.

_____ (15) ich noch heute Mails schreibe.

_____ (16) Hund so niedlich war.

zu Lesen, S. 35, Ü3

15 Urlaubserlebnisse 🖥 ÜBUNG 19, 20   GRAMMATIK

a   **Ordnen Sie zu.**

| ~~überall~~ · alles · nichts · dort/da · etwas |

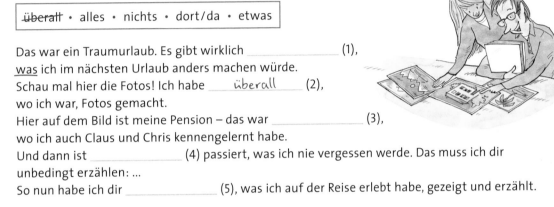

Das war ein Traumurlaub. Es gibt wirklich _____ (1),
<u>was</u> ich im nächsten Urlaub anders machen würde.
Schau mal hier die Fotos! Ich habe _____ *überall* _____ (2),
wo ich war, Fotos gemacht.
Hier auf dem Bild ist meine Pension – das war _____ (3),
wo ich auch Claus und Chris kennengelernt habe.
Und dann ist _____ (4) passiert, was ich nie vergessen werde. Das muss ich dir
unbedingt erzählen: ...
So nun habe ich dir _____ (5), was ich auf der Reise erlebt habe, gezeigt und erzählt.

b   **Markieren Sie die Relativpronomen.**

zu Lesen, S. 35, Ü3

16 *Wo* oder *was?*   GRAMMATIK

Was ist richtig? Markieren Sie.

1 Australien ist ein Land, (wo)/*was* ich gern hinfahren würde.

2 Ich habe alles dabei, *wo/was* ich mir notiert hatte.

3 Es ist das Spannendste, *wo/was* ich je erlebt habe.

4 Mein Balkon ist ein Platz, *wo/was* ich mich wunderbar erholen kann.

5 Hast du alles eingepackt, *wo/was* ich dir gesagt habe?

6 Dieses Jahr reise ich wieder nach Rom, *wo/was* ich letztes Jahr meinen Mann kennengelernt habe.

7 Ein Ballonflug ist etwas, *wo/was* mir Spaß machen würde.

zu Lesen, S. 35, Ü3

17 Relativsätze   GRAMMATIK

Verbinden Sie die beiden Sätze zu einem Satz.

1 Mit dem „Touch & Travel" kann man Fahrkarten per Handy kaufen. Das war neu für mich.

2 Man meldet sich einfach auf dem „Touchpoint" an. Das wusste ich nicht.

3 Man kann bargeldlos zahlen. Das finde ich praktisch.

4 Pierre hat mir eine Postkarte aus dem Urlaub geschickt. Das finde ich nett.

5 Er hat mir auch etwas mitgebracht. Das hat mich überrascht.

1 Mit dem „Touch & Travel" kann man Fahrkarten per Handy kaufen, was neu für mich war.

zu Lesen, S. 35, Ü3

18 Relativpronomen 🖳 ÜBUNG 21, 22

GRAMMATIK

Ergänzen Sie die Relativpronomen und die Präpositionen, wo nötig.

Besondere Hotels

Ein Hotel aus Eis und Schnee

Sie werden – umgebenvon Wänden aus
Eis und Schnee, _die_ (1) Künstler aus
Deutschland, Finnland, Amerika und
aus der Schweiz verziert haben – eine
außergewöhnliche Atmosphäre erleben.
Sie schlafen auf Podesten, _____ (2) aus
Eis sind, und sogar die Getränke, _____ (3)
Sie an der Eisbar bekommen, werden in Eisgläsern serviert.
In einem Whirlpool, _____ (4) Sie sich aufwärmen können,
können Sie wunderbar entspannen und die Seele baumeln lassen.

Leben wie die Indianer

Ein Spaß für Groß und
Klein. Besonders
beliebt bei Familien,
_____ (5) einmal
ganz anders Urlaub
machen wollen. Die
Gäste schlafen in Zel-
ten, _____ (6) um einen Platz aufgestellt
sind. Unter freiem Sternenhimmel kann man
abends am Lagerfeuer zusammen sitzen.
Das ist etwas ganz Besonderes, _____ (7)
Sie nie vergessen werden.

Kofferhotel

Einfach, aber bequem
und gemütlich über-
nachten? Das können
Sie in dem wohl kleins-
ten Hotel in Deutsch-
land! Das Zimmer ist
ein überdimensionaler
Koffer, _____ (8) man schlafen kann.
Bringen Sie sich für die Übernachtung einfach einen Schlafsack mit, _____ (9) Sie
bequem schlafen können oder Sie bekommen
vom Wirt ein Paket Decken, _____ (10) Sie
zusätzlich wärmen.

zu Lesen, S. 35, Ü3

19 Wortstellung im Relativsatz 🖳 ÜBUNG 23

GRAMMATIK

Welche Wörter in den Sätzen beziehen sich aufeinander? Markieren Sie diese in den beiden Sätzen.
Verbinden Sie dann die Sätze durch ein Relativpronomen.

1 <u>Rainer</u> hat mir eine Postkarte geschrieben. <u>Er</u> macht gerade Urlaub in Italien.

   Rainer, der gerade Urlaub in Italien macht, hat mir eine Postkarte geschrieben.

2 Ich fahre mit Juliane nach Zürich. Ich treffe sie gleich am Bahnhof.

   2 Ich fahre mit Juliane,

3 Ich bringe meinen Vater zum Flughafen. Meine Schwester hat ihm
   ein Flugticket zum Geburtstag geschenkt.

4 Herr Clausen wartet schon am Eingang. Seine Frau arbeitet auch bei uns.

5 Ich fahre mit Finn in den Urlaub. Er ist mein bester Freund.

6 Die Pension kann ich nur empfehlen. Meine Freundin hat schon dort
   übernachtet.

7 Das war ein schöner Urlaub. Ich erinnere mich immer gern daran.

LEKTION 3

zu Lesen, S. 36, Ü6

20 *Werden* + Infinitiv   🖥 ÜBUNG 24   GRAMMATIK

Was bedeuten die Sätze? Kreuzen Sie an.

	Versprechen	Vorhersage	Vermutung	Plan/Vorsatz
1 Er wird krank sein.			x	
2 Der Wetterbericht sagt, morgen wird es regnen.				
3 Ja, Mama, das werde ich machen. Ich werde sofort mein Zimmer aufräumen.				
4 Im Winter werde ich nach Südafrika fliegen.				

zu Lesen, S. 36, Ü6

21 Vermutungen   GRAMMATIK

Was vermutet Kathi: Wie geht es Artur und was macht er wohl?
Schreiben Sie Sätze mit *werden* + Infinitiv.

Hi, Kathi!
Das Wetter ist
grauenvoll.
Es regnet in Strömen.
☹ Dein Artur

1 nicht die ganze Woche lang zelten
  Wahrscheinlich _wird er nicht die ganze Woche lang zelten._
2 in ein Hotel gehen
  Vermutlich _____
3 total enttäuscht sein
  Wahrscheinlich _____
4 keine Rucksacktour mehr im Februar machen
  Eventuell _____
5 das nächste Mal in den Süden ans Meer fahren
  Vielleicht _____
6 früher nach Hause zurückkommen
  Sicher _____

LEKTION 3

zu Lesen, S. 36, Ü6

22 Vorhersagen: Unterwegs in der Zukunft

GRAMMATIK / KOMMUNIKATION

a Schreiben Sie Fragen mit *werden* + Infinitiv.

1 Sind wir alle in zehn Jahren mit dem Mute unterwegs?
   Werden wir alle in zehn Jahren mit dem Mute
   unterwegs sein?
2 Gibt es viel zu viele Autos?
3 Gibt es noch Fahrkartenautomaten?
4 Bucht man nur noch online?
5 Fährt man in zwei Stunden von München nach
   Hamburg mit dem Zug

6 Sind Flüge in den Weltraum im Jahr
   2030 ganz normal?
7 Gibt es Hotels im All und Tages-
   ausflüge zum Mond?
8 Fliegen Forscher bald auf den Mars?
9 Wie entwickelt sich der öffentliche
   Verkehr?
10 Ändert sich das Klima?

b Antworten Sie auf fünf Fragen aus a mit:

■ Meiner Meinung nach ...
■ Wahrscheinlich wird man ...
■ Ich selbst würde gern ...

Meiner Meinung nach wird es in zehn Jahren nur noch Elektroautos geben.

zu Lesen, S. 36, Ü6

23 Pläne: 10 Dinge, die ich in meinem Leben noch machen werde

GRAMMATIK

Schreiben Sie Sätze mit *werden* + Infinitiv.

1 in meiner Lieblingsfußballmannschaft als Profi spielen
2 zwei Wochen lang verreisen, ohne jemandem
   Bescheid zu geben
3 den Kilimandscharo besteigen
4 mit meinem Lieblingsstar einen Abend verbringen
5 mit meiner besten Freundin / meinem besten Freund ...

1 Ich werde in meiner ...

zu Lesen, S. 36, Ü6

24 Versprechen ÜBUNG 25

GRAMMATIK

Aller Abschied ist schwer. Leo macht eine Weltreise. Was verspricht Leo seiner Freundin?
Schreiben Sie.

auf mich aufpassen • jeden Tag eine SMS
schreiben • aus jedem Land eine Karte
schreiben • viele Fotos machen • immer
an dich denken • dir etwas Schönes
mitbringen • ...

Natürlich werde ich auf mich aufpassen.
Ich werde ...

PASS AUF DICH AUF.

LEKTION 3

zu Schreiben, S. 37, Ü2

25 Adjektive 🖳 ÜBUNG 26   WORTSCHATZ

Was passt nicht? Streichen Sie durch.

1 Lage: einsam – schön – ~~fantasievoll~~
2 Einrichtung: modern – luxuriös – reich
3 Gastronomie: geschmackvoll – regional – international
4 Personal: abenteuerlich – nett – engagiert
5 Atmosphäre: außergewöhnlich – unvergesslich – zufrieden

zu Schreiben, S. 37, Ü3

26 Ungewöhnliche Hotels 🖳 ÜBUNG 27, 28   KOMMUNIKATION

a **Ergänzen Sie die Hotelbewertung.**

> Toll war auch · Besonders gefallen · Weniger schön fanden wir · ~~Kürzlich verbrachten~~ ·
> Die Einrichtung war zwar · Ungefähr 20 Iglus liegen · Auf jeden Fall haben wir

Wohnen in Iglus – ein Traum geht in Erfüllung!   1
   Kürzlich verbrachten   mein Freund Jan und ich eine Woche in einem verrückten
Hotel – und zwar in einem Iglu. Das war vielleicht ein Erlebnis!
_____ mitten im Allgäu, in einer einsamen Gegend.
Man konnte zwischen Standard-Iglus und Romantik-Iglus wählen. Jan und ich haben   5
natürlich das Romantik-Iglu gewählt. _____
einfach, aber dafür gemütlich und geschmackvoll.
_____ haben mir die Eisbar und das Eisrestaurant.
Es war wirklich alles in dem Hotel aus Eis und Schnee! Wir haben sogar aus Eisgläsern
getrunken. _____ , dass man auch tagsüber immer   10
in Daunenjacken und dicken Decken herumlaufen musste, weil es so kalt war. Aber abends
sind wir immer in die Sauna und haben uns aufgewärmt.
Auch das Essen war lecker. Es gab oft Fondue und natürlich haben wir ganz viel Tee
getrunken. Die Atmosphäre war einfach schön, sehr familiär, und das Personal war
total gastfreundlich. Ach ja, und was ich noch vergessen habe: 15
_____ , dass es überall an den Wänden Figuren aus
Eis gab – Blumen, Eisbären, Pinguine …

_____ eine unvergessliche Zeit dort verbracht.
Es war ein traumhafter Urlaub. Ich würde da ganz sicher wieder hinfahren.
(Dann aber ohne Jan ☺)   20

b **Wählen Sie eins der folgenden Hotels und schreiben Sie eine ähnliche Hotelbewertung wie in a.
   Verwenden Sie dazu die Redemittel aus a und aus dem Kursbuch S. 37.**

> Eishotel · Hotel im Wasserturm/Leuchtturm/Baumhaus · Kofferhotel · Unterwasserhotel ·
> Flugzeughotel · Romantikhotel · Null-Sterne-Hotel · Hausboot-Hotel · …

LEKTION 3

zu Sehen und Hören, S. 39, Ü1

27 Anders reisen

GRAMMATIK

Ergänzen Sie die Präpositionen und den Artikel, wo nötig.

Ich würde gern ...
mit dem Kajak ___über den___ (1) See fahren.
in einem Ballon _____ (2) Berge fahren.
mit dem Hundeschlitten _____ (3) Grönland reisen.
in einem Raumschiff _____ (4) Mond fliegen.
mit dem Fahrrad quer _____ (5) Österreich fahren.

zu Sehen und Hören, S. 39, Ü2

28 Interview

HÖREN

🎧 21 Hören Sie noch einmal das Interview mit Thomas Bauer. Was ist richtig? Markieren Sie.

1 Thomas Bauer hat immer dabei:
☐ Tagebuch ☐ Notizblock ☐ viel Gepäck ☐ Laptop ☐ Diktiergerät

2 Er hat folgende Verkehrsmittel benutzt:
☐ Rikscha ☐ Fahrrad ☐ Hundeschlitten ☐ Kajak ☐ Ballon

3 Mit wem / Womit hatte er schon einmal Schwierigkeiten?
☐ mit fremden Leuten ☐ mit dem Klima / Wetter ☐ mit dem Essen ☐ mit Hotels

29 Mein Reisesouvenir

MEIN DOSSIER

Beschreiben Sie einen Lieblingsgegenstand, den Sie von einer Reise mitgebracht haben.
Machen Sie Notizen. Schreiben Sie dann Ihre persönliche Geschichte dazu.

Das ist mein/meine ...
Ich finde ihn/sie/es ...
Das kann ich damit machen: ...
Warum ich ihn/sie/es so mag: ...

Meine Muschel

Ich habe sie zufällig am Strand in Spanien entdeckt.
Sie erinnert mich an einen unvergesslichen Urlaub.
Das Meer, schönes Wetter – eine unbeschwerte Zeit.
Sie liegt auf dem Tisch neben meinem Bett.
Ich finde sie einfach schön ...

LEKTION 3

— AUSSPRACHE: Die Wortpaare *tz – z* und *s – ss – ß* —

CD1 C22 1 Hören Sie die Sätze und sprechen Sie nach.

1 Wir zelten nur selten.

3 Drei Spatzen haben zusammen Spaß.

4 Wir haben auf dem Campingplatz einen Schatz gefunden.

5 Es lagen zwei zischende Schlangen zwischen zwei spitzen Steinen und zischten dazwischen.

2 Die Katze streichelt mit der Tatze Moritz' Glatze.

6 Der Zauberer zaubert zehn kleine Zebras.

CD1 C23 2 Welches Wort hören Sie? Markieren Sie.

a *s* oder *z*

1 ☐ seit   ☐ Zeit
2 ☐ selten   ☐ zelten
3 ☐ Sinn   ☐ Zinn
4 ☐ sehen   ☐ Zehen
5 ☐ Seile   ☐ Zeile

b *s* oder *ss*

1 ☐ Riese   ☐ Risse
2 ☐ Hasen   ☐ hassen
3 ☐ Wiesen   ☐ Wissen
4 ☐ Gase   ☐ Gasse
5 ☐ Wesen   ☐ wessen

c *s/ss/ß* oder *tz/z*

1 ☐ Spaß   ☐ Spatz
2 ☐ Wiese   ☐ Witze
3 ☐ heißen   ☐ heizen
4 ☐ Nässe   ☐ Netze
5 ☐ müssen   ☐ Mützen

3 Diktat

Diktieren Sie Ihrer Lernpartnerin / Ihrem Lernpartner Teil 1 oder Teil 2 der Übung. Wer das Diktat hört und schreibt, schließt das Buch.

1

Wir haben auf unserer Hochzeitsreise in dem schönsten Zimmer übernachtet.
Unser Reiseziel ist Zürich und dann Salzburg.
Wir haben auf dem Campingplatz gezeltet.
Das hat den Kindern Spaß gemacht.
Den Zug haben wir verpasst.

2

Wir haben einen Platz im Zug reserviert.
Wir wollen nur die Sonne genießen und faulenzen.
In der Pension hat die Heizung nicht funktioniert.
Wir haben auf einer Wiese am Fluss gezeltet.

3

49

LEKTION 3 LERNWORTSCHATZ

SEITE 29 EINSTIEG

unterwegs _____

SEITE 30 HÖREN

der Passagier, -e _____

die Situation, -en _____

die Strafe, -n _____

das Verkehrsmittel, - _____

die Vermutung, -en _____

der Vorschlag, ⸚e _____

einverstanden sein* _____

vermuten _____

gültig _____

öffentlich _____

eventuell _____

vermutlich _____

wohl _____

SEITE 31 WORTSCHATZ

die Bewegung, -en _____

erfinden* _____

unterscheiden* _____

verreisen _____

drüben _____

SEITE 32–33 SPRECHEN 1

die Bedienung, -en _____

die Erfrischung, -en _____

der Sinn, -e _____

die Speise, -n _____

der Stress (Sg.) _____

sich entschließen* zu (+ Dat.) _____

sich erholen _____

garantieren _____

gelingen* _____

recht sein* _____

unsichtbar _____

diesmal _____

zu viel _____

SEITE 34–36 LESEN

der Apparat, -e _____

der Bericht, -e _____

die (Werbe)Broschüre, -n _____

die Form, -en _____

das Klima, die Klimata _____

der Nachteil, -e _____

die Taste, -n _____

die Überschrift, -en _____

die Umwelt (Sg.) _____

die Zukunft, ⸚e _____

(sich) abmelden _____

beheizen _____

erledigen _____

transportieren _____

(sich) verändern _____

verbinden* _____

bequem _____

bezahlbar _____

sparsam _____

umweltfreundlich _____

entfernt _____

LEKTION 3 LERNWORTSCHATZ

SEITE 37 SCHREIBEN

die Aussicht, -en _____

der Kommentar, -e _____

das Kriterium, die Kriterien _____

die Kritik, -en _____

die Lage, -n _____

führen _____

verbringen* _____

wert sein* _____

unterschiedlich _____

steil _____

auf jeden Fall _____

(un)gewöhnlich _____

außergewöhnlich _____

tatsächlich _____

SEITE 38 SPRECHEN 2

der Gegenstand, ⸚e _____

funktionieren _____

verstecken _____

SEITE 39 SEHEN UND HÖREN

die Art, -en _____

die Lebensgefahr, -en _____

der Mond (Sg.) _____

anstrengend _____

unbedingt _____

WELCHE WÖRTER MÖCHTEN SIE NOCH LERNEN?

3

LEKTIONSTEST 3

1 Wortschatz

Was ist richtig? Markieren Sie.

1 Er gibt nicht viel Geld aus. Er ist ziemlich *großzügig / sparsam / luxuriös*.
2 Die Bahn war total überfüllt. Viele *Passagiere / Kunden / Gäste* mussten im Gang stehen.
3 Der See liegt nicht weit *vorne / fern / entfernt*.
4 Ich habe *entschlossen / gedacht / geplant*, im nächsten Sommer eine Reise nach Afrika zu machen.
5 Die Wohnung ist super. Die *Liege / Lage / Position* ist verkehrsgünstig. Man hat eine
   wunderschöne *Einsicht / Aussicht / Absicht* über die Stadt.

Je 1 Punkt   Ich habe _____ von 6 möglichen Punkten erreicht.

2 Grammatik

a Schreiben Sie Vermutungen oder Vorhersagen.

1 als Forscher in der Antarktis arbeiten (er)   Vermutlich _____ .
2 Weltreise machen (sie/Plural)   Sicher _____ .
3 mit Kamelen durch die Wüste reiten (wir)   Wahrscheinlich _____ .

Je 1 Punkt   Ich habe _____ von 3 möglichen Punkten erreicht.

b Was ist richtig? Markieren Sie.

1 Der Flug mit dem Ballon war etwas, *was / das* ich nie vergessen werde.
2 Das Ticket, *mit dem / das* ich gefahren bin, habe ich online gebucht.
3 Das war das Schönste, *was / das* ich je erlebt habe.
4 Die Frau, *deren / dessen* Reiseberichte so viel Erfolg haben, hat ein spannendes Leben.
5 Er hat lange als Forscher in der Antarktis gelebt, *was / das* eine wichtige Erfahrung für ihn war.
6 Hat alles funktioniert, *das / was* du vorbereitet hast?

Je 1 Punkt   Ich habe _____ von 6 möglichen Punkten erreicht.

c Schreiben Sie Relativsätze.

1 Das Hotel kann ich nur empfehlen. Meine Freundin hat schon dort übernachtet.
2 Das war ein Erlebnis! Ich werde es nie vergessen.
3 Ich fliege mit meinem Freund Jan nach Florida. Ich habe ihm das Flugticket geschenkt.
4 Isabel hat mir eine SMS aus Spanien geschrieben. Dort macht sie gerade Urlaub.
5 Das war eine schöne Reise. Ich erinnere mich gern daran.

Je 2 Punkte   Ich habe _____ von 10 möglichen Punkten erreicht.

3 Kommunikation

Was ist richtig? Markieren Sie.

1 ● Meinst du nicht, wir sollten dieses Jahr im Urlaub zu Hause bleiben?
  ■ Warum *bloß / nur / eigentlich* nicht?
2 ● Wie *wäre / hätte / würde* es denn, wenn wir heute noch einen Ausflug machen würden?
  ■ *Hört / Klingt / Riecht* spannend.
3 ● Ich werde nächstes Jahr nach New York fliegen. *Würdest / Wärest / Hättest* du denn mitfliegen?
  ■ Nach New York? Na ja. Das ist mir, ehrlich gesagt, nicht so *recht / richtig / falsch*.

Je 1 Punkt   Ich habe _____ von 5 möglichen Punkten erreicht.

Auswertung: Vergleichen Sie Ihre Lösungen mit S. 134.
Ihre Erfolgspunkte tragen Sie unter jeder Aufgabe ein.

☺	☺	☹
30–26	25–15	14–0

Ich habe _____ von 30 möglichen Punkten erreicht.

LEKTION 4 WOHNEN

1   ... Haus ...

Was passt? Ergänzen Sie.

1 Neben unserem Haus steht unser kleines _(1)_ . Dort haben wir unsere Fahrräder und das Werkzeug.

2 Die Brunners wohnen in einem Mehrfamilienhaus. Unsere Familie wohnt alleine in einem _(2)_ .

3 In New York gibt es viele davon. Ich habe mal in einem _(3)_ gewohnt, im 20. Stock.

4 Der _(4)_ kümmert sich um das Haus und repariert manchmal Dinge im Haus.

5 Wir machen jeden Sommer ein Grillfest im Garten. Auch dieses Jahr kommen alle _(5)_ . Nur die Schmitts sind in Urlaub.

6 Wenn ich mir ein Haus wünschen könnte, dann wäre mein _(6)_ irgendwo im Süden am Meer.

7 Im nächsten Urlaub fahren wir nach Dänemark und haben dort ein _(7)_ gemietet.

8 Die _(8)_ war wieder die ganze Nacht offen.

9 Ich zieh besser meine Stiefel aus. Hast du ein Paar _(9)_ ?

```
1            G A R T E N H A U S
2        F A M I L I E N H A U S
3                    H A U S
4                  H A U S h
5                  H A U S
6            H A U S
7        F    H A U S
8              H A U S
9              H A U S
```

2   Rund ums Wohnen

Was passt nicht? Streichen Sie durch.

1 Badewanne – Dusche – ~~Bett~~
2 Balkon – Terrasse – Garage
3 Wohnzimmer – Badezimmer – Kinderzimmer
4 Flur – Gang – Toilette
5 Garten – Erdgeschoss – Stockwerk

6 Fernsehgerät – Spülmaschine – Stuhl
7 Briefkasten – Klingel – Topf
8 Küche – Keller – Dachgeschoss
9 Aufzug – Müll – Treppe
10 klingeln – klopfen – parken

---

zur Einstiegsseite, S. 41, Ü2

3   Mein Traumhaus 📖 ÜBUNG 1, 2

Ergänzen Sie.

Mein Traumhaus ist ein _Schloss_ (1). Ganz einsam und ruhig liegt es, mitten im schottischen Hochmoor.

Es ist 300 _____ (2) groß und hat zehn

_____ (3), drei Badezimmer und einen riesigen

_____ (4) mit vielen _____ (5)

und einem alten _____ (6). Daran hängt eine Hängematte, in der ich den ganzen Tag liege und lese.

Im _____ (7) steht ein Billardtisch.

Wenn Freunde kommen, können wir immer Billard spielen.

Im Badezimmer gibt es eine runde _____ (8)

und ein großes Fenster, von dem ich eine wunderbare

_____ (9) auf die Landschaft habe.

> Badewanne • Aussicht •
> Wohnzimmer • Baum •
> Garten • Quadratmeter •
> Zimmer • Blumen • ~~Schloss~~

LEKTION 4

zu Wortschatz, S. 42, Ü2

4 Wohnungseinrichtung 💻 ÜBUNG 3   WORTSCHATZ

Lesen Sie den Text und ergänzen Sie.

> Vorhänge • Spiegel • Waschmaschine • Möbel • Sofa • ~~Kleiderschrank~~ •
> Geschirrspüler • Bild • Wohnzimmer • Stuhl • Blumenvase • Wände

Gestalten Sie Ihr Wohnambiente kreativ!
Tipps und Tricks von Profis für einen günstigen Wohntraum

Möbel tauschen

Wenn das _____ (1) unbequem ist oder der *Kleiderschrank* (2) zu klein,
dann brauchen Sie eine neue Einrichtung. In Einrichtungsbörsen kann man
_____ (3) tauschen und findet günstige Angebote.

Clever investieren

Sie brauchen eine neue _____ (4) oder einen neuen
_____ (5)? Aber Sie können sich das nicht leisten? Dann gehen Sie
zum Reparaturservice, wo man auch gebrauchte Geräte günstig kaufen kann.

Möbel mieten

Sie wollen mal wieder Ihr _____ (6) verändern? Dann mieten Sie sich
z. B. ein neues _____ (7) und hängen Sie es auf. Ihre Freunde werden begeistert
sein. Oder mieten Sie einen alten _____ (8) aus einem Kino. Und schon können Sie
eine neue Wohn-Atmosphäre schaffen.

Erinnerungen wecken

Schlendern Sie doch mal über einen Flohmarkt, um hübsche Wohn-Accessoires zu finden.
Ein alter _____ (9) für den Flur, Omas _____ (10) für die Fenster
oder eine ausgefallene _____ (11) für den Wohnzimmertisch peppen
Ihre Wohnung für wenig Geld auf.

Neue Farbe ins Spiel bringen

Laden Sie Ihre Freunde zu einem Handwerkerwochenende ein. Drücken Sie ihnen Pinsel
und Farbe in die Hand und malen Sie Ihre _____ (12) neu an. Mit leckeren
Spaghetti zwischendurch halten Sie Ihre Freunde bei Laune.

zu Wortschatz, S. 42, Ü4

5 Wortbildung Nomen 💻 ÜBUNG 4, 5   GRAMMATIK

a   Bilden Sie zusammengesetzte Nomen. Ordnen Sie sie dann mit Artikel den Bildern zu.

1 Klapp	Bett
2 Hoch	Schrank
3 Bilder	Eimer
4 Dusch	Rahmen
5 Wasch	Stuhl
6 Brat	Schirm
7 Kühl	Tisch
8 Müll	Wanne
9 Sonnen	Terrasse
10 Liege	Pfanne
11 Dach	Vorhang
12 Bade	Becken

der Klapptisch _____   _____   _____

4

b   Ordnen Sie die Wörter aus a in die Tabelle ein.

Verb + Nomen	Adjektiv + Nomen	Nomen + Nomen
der Klapptisch, …		

zu Hören, S. 43, Ü3

6 Brauchen / nicht brauchen … zu ÜBUNG 6, 7, 8   GRAMMATIK ENTDECKEN

a   In welchen Sätzen folgt nach *brauchen* ein Objekt, in welchen *zu* + Infinitiv? Markieren Sie.

			Objekt	*zu* + Infinitiv
Ich brauche	eine bessere Wohnung. keine bessere Wohnung.	brauchen +	☐	☐
	die Unterkunft **nicht zu** bezahlen. keine bessere Wohnung **zu** suchen. nur eine bessere Wohnung **zu** suchen.	nicht/nur/kein brauchen +	☐	☐

b   Erklären Sie die Vorteile. Was braucht man beim Haustausch <u>nicht</u> zu tun? Schreiben Sie Sätze.

~~eine Ferienwohnung buchen~~ • ~~für die Unterkunft bezahlen~~ • die eigenen Fahrräder mitbringen •
Sachen zum Kochen mitbringen • Informationen über die Umgebung suchen

Man braucht keine Ferienwohnung zu buchen. …
Man braucht für die Unterkunft nicht zu bezahlen.

zu Hören, S. 43, Ü3

7 In der Wohngemeinschaft

GRAMMATIK

Schreiben Sie Sätze mit *nicht/nur brauchen … zu* + Infinitiv.

1
> Hi Sarah,
> Du musst die Spülmaschine nicht
> ausräumen. Das mache ich!

Sarah braucht die Spülmaschine nicht ausräumen.

2
> Liebe Mona, liebe Lisa,
> Ihr müsst nicht putzen.
> Hab' ich schon gemacht.

3
> Christine,
> Du musst die Kakteen nur einmal
> pro Woche gießen. Danke!

4
> Lieber Andi,
> Du musst nur die Schildkröte
> füttern. Die Katze füttert
> Frau Neumann von nebenan.

5
> Andrea,
> die Rechnung habe
> ich schon bezahlt.

zu Hören, S. 43, Ü3

8 Villa Kunterbunt

GRAMMATIK

In der „Villa Kunterbunt" ist alles erlaubt:
Schreiben Sie die Hausordnung für die „Villa
Kunterbunt". Schreiben Sie Sätze mit *brauchen*.

Hausordnung

1 Fahrräder bitte im Fahrradkeller abstellen!

2 Wäsche bitte nicht im Garten aufhängen. Wäsche bitte im Waschkeller aufhängen.

3 Zwischen 13 und 15 Uhr ist Mittagsruhe. Bitte ganz leise sein!

4 Schließen Sie bitte abends immer die Haustür ab.

5 Nehmen Sie bitte Rücksicht auf die Nachbarn!

6 Putzen Sie alle Treppen im Treppenhaus, auch Ihre eigenen!

Hausordnung der Villa Kunterbunt

1 *Sie brauchen die Fahrräder nicht im Fahrradkeller abzustellen.*
Sie können sie überall abstellen!

2 _____
Sie können sie im Garten aufhängen!

3 _____
Sie können Musik hören, tanzen, grillen.

4 _____
Bei uns sind alle willkommen.

5 _____
Alle sind tolerant.

6 _____
Sie müssen wirklich nicht das ganze Treppenhaus putzen!

zu Hören, S. 43, Ü3

9 Alles kunterbunt!

SPIEL

Machen Sie Ihre Traum-Hausordnung.
Wählen Sie ein Thema und schreiben Sie Sätze
mit *(nicht) brauchen* (+ zu) und *können*.

- Familie „Kunterbunt"
- Arbeitsplatz „Kunterbunt"
- Klassenzimmer „Kunterbunt"

> Klassenzimmer „Kunterbunt"
>
> Wir brauchen keine Regeln!
> Wir können alles machen.
> Wir brauchen keine Hausaufgaben
> zu machen.
> Wir brauchen keine Grammatik!
> Wir können …

zu Hören, S. 43, Ü4

10 Forumsbeiträge zum Wohnungstausch ÜBUNG 9, 10, 11

WORTSCHATZ

Lesen Sie die Forumsbeiträge und ordnen Sie die Wörter zu.

---

1 **Nick**
Hallo, ich möchte im Sommer verreisen und habe nur wenig Geld.
Da hab ich kürzlich etwas von Wohnungstausch gehört. Hat jemand
von Euch Erfahrungen damit gemacht? Wie war das?

....

2 **jo 2812**
Ich finde Wohnungstausch super! Also, ich habe nur gute
_____ damit gemacht. Ich war weltweit unterwegs,
in New York, Sydney, Singapur, Tokyo und, und, und. Und das war
natürlich billiger, weil ich nicht für die _Unterkunft_ zahlen
musste. Ich könnte mir ein Hotel oder eine _____
überhaupt nicht leisten. Und in meinem Alter gehe ich natürlich
nicht mehr auf den _____. ☺ Ich hatte so tolle Urlaube
und das für wenig Geld! Und kann deshalb einen Wohnungstausch nur
empfehlen!

....

3 **rainbowx3**
Na ja, das kann schon sein. Du wohnst ja auch in Berlin! Aber ich habe
mich mal bei so einer _____ erkundigt und wenn man wie
ich in Hinterweidental wohnt, hat man nur wenige Chancen. Da will
keiner mit mir tauschen. Außerdem sind mir die _____
zu teuer! Also, ich will da kein _____ werden.
Das lohnt sich nur, wenn man wirklich viel verreist.

....

4 **DREAMQUEEN85**
Also, bei mir war das fast wie in dem amerikanischen Film „Happy
Holiday". Durch den _____ und viele Zufälle habe
ich meinen _____ kennengelernt! Aber schaut Euch am
besten den Film an. So ähnlich war es bei mir!
Viel Glück!

Campingplatz •
Pension •
Erfahrungen •
~~Unterkunft~~

Mitglied •
Gebühren •
Agentur

Traummann •
Wohnungstausch

zu Schreiben, S. 44, Ü3

11 Wortstellung im Hauptsatz 🖳 ÜBUNG 12, 13, 14   GRAMMATIK ENTDECKEN

Ordnen Sie die Sätze in die Tabelle ein. Beginnen Sie dabei mit den markierten Wörtern.

Elisa wohnt in Dresden und möchte bald in Urlaub fahren.
1 Sie plant <u>auch dieses Jahr</u> schon rechtzeitig ihren Urlaub.
2 Sie ist Mitglied bei der Agentur „Tauschdiewohnung", <u>weil sie nur gute Erfahrungen gemacht hat.</u>
3 Sie macht <u>seit zehn Jahren</u> im Urlaub Wohnungstausch.
4 Sie braucht <u>für die Unterkunft</u> nicht zu zahlen. Deshalb kann sie sich eine Fernreise leisten.
5 Sie wird im August nach Sidney reisen, <u>wenn alles klappt.</u>
6 Sie hat schon <u>einen Flug</u> reserviert.
7 Sie würde <u>gern</u> ihre Freundin Luisa mitnehmen.
8 Sie braucht Luisa <u>jetzt</u> nur noch zu überzeugen, dass das eine tolle Idee ist.

Position 1	Position 2	
1 *Auch dieses Jahr*	*plant*	*sie schon rechtzeitig ihren Urlaub.*
...		

zu Schreiben, S. 45, Ü5

12 Wohnungstausch 🖳 ÜBUNG 15, 16   SCHREIBEN

Im nächsten Sommer möchten Sie Ihre Wohnung zum Tausch anbieten.
Wählen Sie ein Bild aus und ergänzen Sie die E-Mail. Schreiben Sie zu folgenden Punkten:

1 Wie sieht Ihre Wohnung / Ihr Haus aus?
2 Wo liegt sie/es?
3 Welche Vorteile/Nachteile gibt es?
4 Wer sind Sie und welche Vorstellungen haben Sie von Ihrer Tauschwohnung / Ihrem Tauschhaus?

Größe/Ausstattung/ Einrichtung:	Lage/Umgebung/ Ambiente:	Vorteile/Nachteile:
... Quadratmeter	zentral/außerhalb/einsam	schöne Aussicht
... Zimmer	laut/ruhig	kein Lift
Altbau/Neubau/ ...	in der Stadt / auf dem Land	viel Natur
Garten/Terrasse/Balkon	an einem See / in den Bergen	Einkaufsmöglichkeiten
modern/einfach/luxuriös	...	Kneipen/Kinos/Cafés
...		...

Sehr geehrte/r Frau/Herr _____ ,

hätten Sie Lust, den Sommer bei uns zu verbringen?

1 Wir bieten:

_____

_____

Damit Sie einen Eindruck bekommen, schicken wir ein Foto mit.

2 Die Wohnung / Das Haus liegt _____

_____

_____

3 Die Wohnung / Das Haus ist besonders geeignet / weniger geeignet für

_____

_____

4 Wir sind _____ und würden gern _____

_____

Wenn Sie Interesse haben, melden Sie sich bis _____ bei uns.
Wir würden uns freuen, wenn Sie bei uns wohnen möchten.

Mit freundlichen Grüßen

---

zu Lesen, S. 46, Ü2

13 Wohnen in der Großstadt

LESEN

**Lesen Sie noch einmal die Texte im Kursbuch auf S. 46. Welche Aussagen sind richtig?
Markieren Sie.**

Text 1
1 Chris wohnt schon seit fast acht Jahren immer mit denselben Leuten zusammen. ☐
2 Es gibt vor allem Probleme mit dem Bad, da die Mitbewohner fast alle gleichzeitig aufstehen. ☐
3 Die Bewohner kochen ab und zu zusammen. ☐
4 Jeder zahlt mal die Putzmittel. ☐

Text 2
1 Die Wohnung ist für fünf Personen zu klein. Aber der älteste Sohn hat ein eigenes Zimmer. ☐
2 Im Schlafraum ist noch Platz für ein Doppelbett. ☐
3 Wohnungen sind teuer. Deshalb ist es schwierig, eine neue Wohnung zu finden. ☐
4 Die Familie hat tagsüber mehr Platz, weil die Kinder in die Schule gehen. ☐

zu Wussten Sie schon?, S. 46

14 Wohnen in einer WG 🖥 ÜBUNG 17, 18

LANDESKUNDE / HÖREN

CD 1 ●24 **a Hören Sie die Radioreportage. Notieren Sie Vorteile und Nachteile einer WG.**

Vorteile	Nachteile / Probleme
günstiger, …	

LEKTION 4

b **Markieren Sie.**

1 Wie ist die Atmosphäre in der WG? ☐ Gut. ☐ Schlecht.

2 Wie würden Sie die Personen beschreiben? Was passt zu wem am besten?

	chaotisch/locker	vernünftig/tolerant	ruhig/sanft/ernst
▪ Vivian	☐	☐	☐
▪ Paul	☐	☐	☐
▪ Mike	☐	☐	☐

c **Hören Sie noch einmal und korrigieren Sie.**

1 Die drei wohnen in einer ~~Neubauwohnung~~. _Altbauwohnung_
2 Die Wohnung ist nicht so groß. _____
3 Paul und Mike sind ordentlich. _____
4 Mike ist oft genervt und gestresst, weil das Bad besetzt ist. _____
5 Paul hat es auch im Studentenwohnheim gut gefallen. _____
6 Die drei unternehmen selten etwas zusammen. _____
7 Sie haben eine gemeinsame Haushaltskasse, aus der sie alles bezahlen. _____

WIEDERHOLUNG GRAMMATIK

15 Temporale Präpositionen

Ergänzen Sie die richtige Präposition und den Artikel, wo nötig.

SCHILLERSTRASSE 2B

1 Die Tür war schon wieder die ganze Nacht über offen. Bitte schließen Sie sie immer _____ Abend. Es ist in Ihrem Interesse. Danke!

2 Am Dienstag, den 15. Juni, kommt der Heizungsableser! Bitte seien Sie _____ 10 Uhr _____ 13 Uhr zu Hause oder hinterlassen Sie beim Hausmeister oder bei Ihrem Nachbarn einen Schlüssel.

3 Unser Hoffest steht wieder an! _____ 27. Juni _____ 16 Uhr grillen wir alle zusammen im Hof. Open End! Costas sorgt – wie _____ jedem Jahr – für Musik! Wir freuen uns!

4 Wir sind _____ Juli in Urlaub und vermieten unsere Wohnung, unsere Katze inklusive! Wer hat Interesse? Sie können uns ab 18 Uhr erreichen. Tel. 0173-78 99 99

5 Am Montag _____ 9 und 11 Uhr wird der Aufzug repariert. Bitte benutzen Sie die Treppen. Wir bitten um Ihr Verständnis!

6 **Hofflohmärkte** _____ 12. August sind wieder Flohmärkte in unserem Viertel. Wer will mitmachen? Wir müssen uns spätestens _____ 30. Juni anmelden.

60

zu Lesen, S. 46, Ü4

16 Überraschungsparty GRAMMATIK ENTDECKEN

a   Lesen Sie Thomas' Mail. Markieren Sie die Zeitangaben.

> **Von:** Thomas
> **Betreff:** Überraschungsparty im Juli!
>
> Hi Freunde,
> ich möchte Gerda dieses Mal an ihrem Geburtstag überraschen. Deshalb lade ich Euch alle zu einem Grillfest ein. Gerda weiß nichts davon!
>
> Am 27. Juli gegen 17.00 Uhr starten wir! Wir treffen uns im Garten – Gerda kommt um halb sechs von der Arbeit nach Hause! Da wird sie Augen machen!
> Und um zwölf wollen wir dann mit Gerdas Lieblingscocktail anstoßen (sie hat ja erst am Sonntag Geburtstag). Ja und in der Nacht machen wir dann einen Mondspaziergang. Bringt Taschenlampen und Fackeln mit. Das wird sicher total schön!
> Sagt mir bald Bescheid, ob ihr kommt. Ich will in einer Woche die Getränke bestellen.
>
> Und! Psssst! Kein Wort zu Gerda.
>
> Euer Thomas, der schon ganz aufgeregt ist…

b   Ordnen Sie die Beispiele aus dem Text in die Tabelle ein

Temporale Präposition		Beispiel
um	genaue Uhrzeit	
an + Dativ	Tag	
	Tageszeit (aber: *in der Nacht!*)	
	Datum	
	Feiertag	*an ihrem Geburtstag*
in + Dativ	Jahreszeit	
	Monat	
	Jahrhundert	
	zukünftiger Zeitpunkt	
gegen + Akkusativ	ungenaue Tageszeit	
	ungenaue Zeitangabe	

c   Ergänzen Sie die Tabelle in b mit diesen und eigenen Beispielen.

> im April • im Sommer • am 28.12. • am Abend • gegen Mittag • an Weihnachten •
> in zwei Monaten • in zehn Tagen • im 19. Jahrhundert • um 22.00 Uhr • an Ostern

zu Lesen, S. 46, Ü4

17 Schon wieder umziehen! 🖥 ÜBUNG 19, 20, 21   GRAMMATIK

Ordnen Sie die Präpositionen zu.

von ... bis • seit • im • im • bis zum • am • nach • gegen • ~~in~~ • in • gegen • vor

_In_ (1) den letzten Jahren bin ich ständig umgezogen und _____ (2) zehn Jahren wohne ich in WGs.

Aber jetzt will ich meine eigene Wohnung! _____ (3) den letzten Wochen habe ich gesucht und gesucht und habe dann aber ganz zufällig in der Zeitung eine Wohnung gefunden.

Dann habe ich stolz und glücklich _____ (4) ein paar Wochen, _____ (5) Juni, den Mietvertrag unterschrieben. Meine erste eigene Wohnung!

Ich habe schon den Schlüssel für die neue Wohnung, muss sie aber noch renovieren. _____ (6) der Renovierung kann ich dann einziehen.

Das Umzugsauto kommt _____ (7) 1. August, _____ (8) 9 Uhr und ich hoffe, wir schaffen alles _____ (9) Abend.

Meine Freunde helfen beim Umzug. Ich habe sie _____ 9 _____ (10) 17 Uhr zum Helfen eingeplant. _____ (11) 12 Uhr gibt es ein schnelles Mittagessen.

Und _____ (12) Herbst mache ich dann eine Einweihungsparty!

zu Lesen, S. 46, Ü4

18 Zufälle gibt es ... 🖥 ÜBUNG 22, 23   GRAMMATIK

Welche Präposition ist richtig? Markieren Sie.

Was für ein Zufall!

Christian und Claudia waren schon *während/ zwischen* der Schulzeit befreundet. Nach dem Abitur haben beide studiert. *In/Während* des Studiums hatten sie keinen Kontakt. Und dann ist es passiert! Wäre Claudia nicht genau *an/in* diesem Tag *zu/ab* genau dieser Uhrzeit über genau diese Straße gegangen, dann wären sich die beiden nicht zufällig an der Ampel in die Arme gelaufen. Das war ein Wiedersehen! *Vor/Nach* 20 Jahren! *An/Seit* diesem Tag sind sie öfter miteinander weggegangen und haben sich *außerhalb/innerhalb* einer Woche 10-mal getroffen. Schon nach der ersten Begegnung haben sie sich ineinander verliebt. Und *in/nach* zwei Wochen hat Christian Claudia schon einen Heiratsantrag gemacht, genauer gesagt *um/am* 1. April.

zu Lesen, S. 47, Ü5

19 Leben im Mehrgenerationenhaus

LESEN

Lesen Sie noch einmal den Text im Kursbuch, S. 47. Ergänzen Sie. Hören Sie dann und vergleichen Sie.

„Meine Frau und ich haben vorher in einem _____ (1) gewohnt. Da war alles so ruhig und anonym. Wir haben uns wie in einem _____ (2) gefühlt. Da haben wir von dem _____ (3) „Generationsübergreifendes Wohnen" gehört und dachten: Das probieren wir mal aus!

Anfangs war das gar nicht so leicht. Da hatten wir schon Probleme, vor allem mit der _____ (4). Alles lag rum – Spielsachen und Schuhe auf dem Flur. Ja, da waren wir nicht sehr _____ (5) davon. Aber man lernt auch mit der Zeit, _____ (6) zu werden. Wir haben auch mittlerweile unsere Nachbarn, die fünfjährigen _____ (7), total liebgewonnen, obwohl sie ganz schön laut sein können.

Aber der _____ (8) stört uns gar nicht mehr. Schön ist auch, dass man immer zu einem Nachbarn gehen kann, wenn man _____ (9) braucht. Meine Frau hat sich anfangs nicht getraut. Dann habe ich gesagt: „Mensch, Schatz. Das ist doch hier ganz normal."

Aber so _____ (10) ein Hausbewohner mal die Treppen für uns und wir passen dafür auf die Kinder auf. Und wenn uns mal die Decke auf den Kopf fällt, gehen wir in den _____ (11), wo man immer einen Hausbewohner zum Reden oder Karten spielen findet. Wir fühlen uns einfach total _____ (12) hier, lieben die angenehme _____ (13) und freuen uns auf die nächsten Jahre."

zu Sprechen, S. 48, Ü3

20 Gebt Ben eine Chance! 🖥 ÜBUNG 24

KOMMUNIKATION

a WG sucht Mitbewohner! Lesen Sie den Aushang. Wie soll die neue Mitbewohnerin / der neue Mitbewohner sein? Was soll sie/er gut und gern machen? Markieren Sie.

> **Nette WG sucht neue Mitbewohnerin / neuen Mitbewohner**
> - Bist Du ruhig und ordentlich?
> - Spülst Du auch immer Dein Geschirr ab?
> - Kannst Du kochen?
>
> *Hast Du alle Fragen mit „Ja" beantwortet?* WIE LANGWEILIG! ☺
>
> Das ist uns zwar alles sehr wichtig, denn wir haben bald Prüfung und müssen auch jobben.
> Aber! Wir sind auch lustig und feiern genauso gern.
> Wenn Du Lust hast, melde Dich!
> Wir freuen uns.
>
> *Susi, Robbie, Anne*
> *robbie@gmx.de*

b Ben sucht ein Zimmer in einer WG und hat auch einen Aushang gemacht. Lesen Sie die Infos zu Ben und ergänzen Sie dann die Mail in c.

> **WG gesucht!**
> **Ich bin Ben, 24 Jahre alt, Kunststudent**
> Lieblingsessen: Fast Food
> Hobbys: Musik hören und das auch oft laut
> Das mache ich gern: Leute einladen und feiern
> Ihn bringe ich mit: meinen Papagei *Captain Jack*
> Macken: unordentlich, chaotisch, aber auch richtig nett!
> zimmer-fuer-ben@gmx.de

c   Was schreibt die WG? Lesen Sie die Mail und ergänzen Sie.

Was wir gar nicht leiden können ist ... • Es wäre schön ... • Für uns kommt nicht infrage ... • Wir können gar nicht leiden • Wir wünschen uns • ~~Wir möchten auf keinen Fall~~

Von:	robbie@gmx.de
An:	zimmer-fuer-ben@gmx.de
Betreff:	Vielleicht bist Du unser neuer Mitbewohner

Hi Ben,
Du scheinst ja ganz nett zu sein! Wir würden Dich total gern in unserer WG einziehen lassen. Aber:

Wir möchten auf keinen Fall _____ (1), dass regelmäßig Partys bei uns sind.
_____ (2), dass wir ab und zu etwas zusammen unternehmen.
_____ (3), wenn jeder einmal pro Woche kocht.
_____ (4) Unordnung! Kommst Du damit klar?
_____ (5), wenn das Geschirr tagelang rumsteht.
_____ (6), dass der Papagei in der Küche rumfliegt.

Na, willst Du immer noch einziehen? Dann komm doch einfach mal vorbei, in die Weidenstraße 17! Wir freuen uns.

Ciao
Susi, Robbie und Anne

21 Hier bin ich gern!

MEIN DOSSIER

Fotografieren Sie einen Platz, an dem Sie entspannen können, wo Sie den Alltag vergessen können und wo Sie sich gern aufhalten! Das kann ein Platz in Ihrer Wohnung sein, in einem Café oder auch ein Platz draußen. Schreiben Sie einen Text, warum Sie den Platz mögen und was Sie dort gern machen. Kleben Sie auch ein Foto dazu.

Ich bin gern an einem Seerosenteich.
Ich fahre oft mit dem Fahrrad dorthin
und kann dort richtig entspannen.
Ich genieße ...

LEKTION 4

AUSSPRACHE: *pr – tr – kr – spr – str*

1 *pr – tr – kr*

 a Hören Sie die Wörter und sprechen Sie nach.

pr	tr	kr
Projekt	Trick	Krokodil
Profi	Treppe	(Schild)kröte
Problem	Traum	Kreditkarte
praktisch	Treffpunkt	kriegen
Prüfung	Träne	kreativ
probieren	trauen	Kritik

b Wählen Sie Wörter aus a und schreiben Sie Sätze. Ihre Lernpartnerin / Ihr Lernpartner spricht die Sätze nach.

Das Krokodil weint viele Tränen – Krokodilstränen

Mein Traumhaus – Treffpunkt für alle meine kreativen Freunde.
Die Profis haben praktische und kreative Tricks.
Die Kröte hat sich nicht getraut.

2 *spr – str*

Hören Sie die Sätze und sprechen Sie nach.

1 Wir streichen die Wohnung ganz ohne Stress.
2 Nach der Renovierung sieht alles schön aus, nur gibt es keinen Strom mehr.
3 Die Kinder spielen im Garten und versprechen, nicht zu streiten.

4 Hinter dem Haus ist eine Spielstraße.
5 Im Garten ist ein Springbrunnen.
6 Herr Strobl, unser strenger Nachbar, spricht fünf Sprachen.

3 Zungenbrecher

Hören Sie die Zungenbrecher erst langsam, dann immer schneller. Sprechen Sie dann nach.

Der Streusalzstreuer zahlt
keine Streusalzstreuersteuer,
keine Streusalzstreuersteuer
zahlt der Streusalzstreuer.

Kritische Kröten kauen
keine konkreten Kroketten.
Keine konkreten Kroketten
kauen kritische Kröten.

LEKTION 4 LERNWORTSCHATZ

der Traum, ⸚e _____   raten* _____

verteilen _____   mitten _____

die Einrichtung, -en _____   der Spiegel, - _____

das Heim, -e _____   die Unterkunft, ⸚e _____

  das Studentenwohnheim, -e _____   der Vorhang, ⸚e _____

der Kasten, ⸚ _____   ideal _____

der Mülleimer, - _____

das Regal, -e _____   innen _____

die Agentur, -en _____   die Gebühr, -en _____

das Camping (Sg.) _____   sich konzentrieren auf (+ Akk.) _____

das Fernsehen (Sg.) _____

der Journalist, -en _____   überhaupt _____

die Jugend (Sg.) _____

  die Jugendherberge, -n _____

der Bau, -ten _____   der Unterschied, -e _____

  der Altbau, -ten _____   behindert _____

der Eindruck, ⸚e _____   beliebt _____

der Lift, -e _____   zentral _____

die Stellung, -en _____

die Möglichkeit, -en _____   der Punkt, -e _____

der/das/die Haupt- _____   analysieren _____

  der Hauptsatz, ⸚e _____

das Altersheim, -e _____   der Lärm (Sg.) _____

der Artikel, - *(Textsorte)* _____   das Projekt, -e _____

der Bewohner, - _____   der Rentner, - _____

der/das/die Doppel- _____   die Vorstellung, -en _____

  das Doppelbett, -en _____

der Gedanke, -n _____   erwarten _____

die Gemeinschaft (Sg.) _____   finanzieren _____

der Hausmeister, - _____   herrschen _____

    reinigen _____

LEKTION 4 LERNWORTSCHATZ

übernehmen* _____

angenehm _____

gewöhnlich _____

tolerant _____

unabhängig _____

außerhalb *(temporal)* (+ Gen.) _____

gegen (+ Akk.) _____

innerhalb *(temporal)* (+ Gen.) _____

seit (+ Dat.) _____

von ... an (+ Dat.) _____

während (+ Gen.) _____

insgesamt _____

inzwischen _____

SEITE 48 SPRECHEN

der Blitz, -e _____

  die Blitzumfrage, -n _____

der Ersatz (Sg.) _____

die Technik, -en _____

der Techniker, - _____

die Technikerin, -nen _____

SEITE 49 SEHEN UND HÖREN

der Charakter, die Charaktere _____

die Stimmung, -en _____

der Streit, -e _____

ernst _____

friedlich _____

gefährlich _____

vernünftig _____

WELCHE WÖRTER MÖCHTEN SIE NOCH LERNEN?

_____

_____

_____

_____

_____

_____

_____

_____

_____

_____

_____

_____

_____

_____

_____

4

LEKTIONSTEST 4

1 Wortschatz

Bilden Sie neue Wörter.
Ordnen Sie sie dann zu.

baden • hoch • Bücher • liegen • Dach • Traum • Bett • Terrasse • Wanne • Haus • Stuhl • Regal

Jule hat lange eine schöne Unterkunft für ihren Urlaub in Griechenland gesucht. Jetzt hat sie
ihr _____ (1) am Meer gefunden. Es hat im Schlafzimmer ein tolles
_____ (2) und ein großes _____ (3). Das freut Jule, denn sie
liest so gern! Jetzt kauft sie sich noch einen bequemen _____ (4), damit sie auch
in der Sonne lesen kann, draußen, auf der wunderschönen _____ (5). Leider gibt
es nur eine Dusche und keine _____ . (6) Aber zum Baden geht sie ins Meer.

Je 1 Punkt   Ich habe _____ von 6 möglichen Punkten erreicht.

2 Grammatik

a **Was muss Sarah alles / nicht machen? Schreiben Sie Sätze mit *brauchen*.**

Liebe Sarah!
Bitte den Briefkasten nur am Wochenende leeren.
Die Rechnungen musst du nicht bezahlen.
Die Pflanzen bitte 1x pro Woche gießen.
Aber die Kakteen überhaupt nicht gießen!

1 Sarah braucht _____
2 Sie braucht keine _____
3 Die Pflanzen _____
4 Aber die Kakteen _____

Je 1 Punkt   Ich habe _____ von 4 möglichen Punkten erreicht.

b **Beginnen Sie den Satz mit den markierten Teilen und schreiben Sie.**

1 Julia ist <u>schon seit Jahren</u> Mitglied bei der Agentur „tauschdichweg".
2 Sie macht <u>auch dieses Jahr</u> Wohnungstausch und tauscht ihre Wohnung mit Sofia in Griechenland.
3 Sie spart dabei viel Geld, <u>weil sie für die Unterkunft nichts zahlen muss</u>.
4 Sie hat Sofia schon <u>eine E-Mail</u> geschrieben. Sie würde <u>gern</u> ihren Freund mitnehmen.

Je 1 Punkt   Ich habe _____ von 5 möglichen Punkten erreicht.

c **Welche Präposition ist richtig? Markieren Sie.**

1 Ich habe immer in der Stadt gewohnt. Aber *vor / seit* 20 Jahren bin ich dann aufs Land gezogen.
2 Die beiden waren schon *zwischen / während* der Schulzeit befreundet.
3 Leon hat sich total verliebt und Anna *innerhalb / außerhalb* einer Woche fünfmal getroffen.
4 Ich ziehe *in / ab* zwei Wochen um. *Von / Seit* März an habe ich dann also eine neue Adresse.
5 Er hat sie *an / in* ihrem Geburtstag mit einem tollen Geschenk überrascht.
6 Ich weiß nicht genau, wann ich komme, aber so *gegen / am* vier Uhr bin ich wahrscheinlich da.
7 Sie erreichen uns persönlich *von / ab* Montag *bis / an* Freitag. Sie können aber auch
   innerhalb / außerhalb unserer Sprechzeiten eine Nachricht hinterlassen.

Je 1 Punkt   Ich habe _____ von 10 möglichen Punkten erreicht.

3 Kommunikation

Ergänzen Sie in der richtigen Form.

wünschen • mögen • leiden • sein • kommen

Es _____ (1) gar nicht infrage, dass regelmäßig Partys bei uns in der Wohngemeinschaft sind.
Wir _____ (2) uns, dass wir ab und zu etwas zusammen unternehmen. Es _____ (3)
schön, wenn jeder einmal pro Woche kocht. Was wir gar nicht _____ (4), ist Unordnung!
Wir können es gar nicht _____ (5), wenn das Geschirr tagelang rumsteht.

Je 1 Punkt   Ich habe _____ von 5 möglichen Punkten erreicht.

Auswertung: Vergleichen Sie Ihre Lösungen mit S. 134.
Ihre Erfolgspunkte tragen Sie unter jeder Aufgabe ein.

☺	☺	☹
30–26	25–15	14–0

Ich habe _____ von 30 möglichen Punkten erreicht.

1 Berufe und Tätigkeiten

a **Was macht man in diesen Berufen? Ordnen Sie zu.**

1 Ärztin/Arzt	Straßen und Brücken bauen
2 Hausfrau/Hausmann	Theater spielen
3 Ingenieur/in	Apparate reparieren
4 Künstler/in	ein Land regieren
5 Journalist/in	den Haushalt machen
6 Präsident/in	Patienten helfen
7 Reiseführer/in	Bilder malen
8 Mechaniker/in	Informationen zu Sehenswürdigkeiten geben
9 Schauspieler/in	Informationen sammeln und für eine Zeitung schreiben

b **Was macht man als …? Wie finden Sie diese Tätigkeiten? Bilden Sie Sätze.**

> interessant • spannend • langweilig • schwer • toll • kompliziert • …

1 Als Ärztin hilft man Patienten. Das finde ich toll!

2 Ausbildung und Beruf 📖 ÜBUNG 1

Was passt nicht? Streichen Sie durch.

1 einen Arbeitsvertrag	schicken – ~~bestellen~~ – unterschreiben
2 eine Ausbildung	machen – abschließen – besuchen
3 ein Ziel	erreichen – mitbringen – haben
4 Lohn	bekommen – erhalten – erklären
5 Geld	aufschreiben – verdienen – ausgeben
6 eine Stelle	suchen – untersuchen – interessant finden

zu Sehen und Hören 1, S. 52, Ü1

3 Was ist das „Atelier La Silhouette"? 📖 ÜBUNG 2   WORTSCHATZ

Bilden Sie Sätze.

1 „Atelier La Silhouette" – 20 Jahre – existieren
   Das Atelier „La Silhouette" existiert seit 20 Jahren.

2 damals – Sozialarbeiterin – Betrieb – gründen

3 junge Migrantinnen – Ausbildung – Schneiderin – absolvieren – dort

4 die Auszubildenden – Werkstatt – nähen lernen

5 alle Mitarbeiterinnen – außerdem – Kundinnen – beraten

6 gemeinsam – sie – Stoff und Schnitt – für Kleidungsstücke – auswählen

7 die Auszubildenden – ihre gute Arbeit – stolz sein auf

8 faire Chance – für die Zukunft – hier – sie – bekommen

zu Sehen und Hören 1, S. 53, Ü2

4 Eine E-Mail vom Chef

Ergänzen Sie die Vorschläge und Bitten.

| könntest · wäre · würdet · |
| hättet · ~~könntet~~ · wäre |

Liebes Team,
die Weihnachtszeit naht und wie jedes Jahr meine Bitte: _Könntet_ (1) Ihr Euch bitte
in eine Liste eintragen, wer wann Urlaub nimmt? Karin, es _____ (2) toll,
wenn Du die Liste vorbereiten und im Kopierraum aufhängen _____ (3).
Da wir ja auch unsere interne Weihnachtsfeier planen wollen, _____ (4)
es schön, wenn Ihr auch gleich eintragen _____ (5), wann Ihr dafür Zeit
_____ (6).

---

zu Sehen und Hören 1, S. 53, Ü2

5 Konjunktiv II 🖥 ÜBUNG 3, 4, 5

GRAMMATIK ENTDECKEN

a (M)ein idealer Arbeitsplatz. Markieren Sie alle Formen im Konjunktiv II.
Ordnen Sie sie dann in die Tabelle ein.

Am liebsten <u>würde</u> ich in einem kleinen Familienbetrieb <u>arbeiten</u>, der praktische Produkte
herstellt, wie zum Beispiel Möbel mit verschiedenen Funktionen. Man <u>könnte</u> z. B. ein Bett als
Sofa oder Schrank benutzen. Die Büros und Werkstätten in unserer Firma wären riesengroß und
hell. Alle Mitarbeiter würden sich gut kennen und es gäbe keinen Streit. Man wüsste immer,
5 wen man um Hilfe bitten könnte. Pro Woche müsste man höchstens 15 Stunden arbeiten – man
käme also zwischen 11 und 13 Uhr zum Arbeitsplatz und ginge spätestens um 16 Uhr nach Hause.
Außerdem würde man unheimlich gut verdienen und niemand müsste Schulden machen. Auch die
Auszubildenden hätten eine sichere Zukunft in der Firma. Man dürfte mit seinem Chef oder seiner
Chefin jederzeit über alles sprechen. Auf so einen Betrieb wäre man wirklich stolz!

Konjunktiv II	
würde + Infinitiv	Originalform
würde ... arbeiten, ...	könnte, ...

b Sehen Sie die Originalformen der Verben *können, müssen, dürfen, haben, sein, geben, gehen,*
kommen und *wissen* noch einmal an. Wie lauten die Verbformen im Präteritum? Ergänzen Sie.

Konjunktiv II			Präteritum		
ich/er könnte	– sie	könnten	ich/er konnte	– sie	konnten
ich/er _____	– sie _____		ich/er _____	– sie _____	
ich/er _____	– sie _____		ich/er _____	– sie _____	
ich/er _____	– sie _____		ich/er _____	– sie _____	
ich/er _____	– sie _____		ich/er _____	– sie _____	
ich/er _____	– sie _____		ich/er _____	– sie _____	
ich/er _____	– sie _____		ich/er _____	– sie _____	
ich/er _____	– sie _____		ich/er _____	– sie _____	
ich/er _____	– sie _____		ich/er _____	– sie _____	

zu Sehen und Hören 1, S. 53, Ü2

6 Irreale Wünsche 🖳 ÜBUNG 6, 7   GRAMMATIK

Schreiben Sie Sätze. Verwenden Sie auch die Originalformen.

1 Paul ist angestellt. (eine eigene Firma haben)

Er hätte gern eine eigene Firma.

2 Die Ausbilderin hat die Namen einiger Auszubildenden vergessen. (sich alle Namen merken)

Sie würde sich gern …

3 Einige Auszubildende haben Schulden. (weniger Geldprobleme haben)

4 Markus beginnt jetzt das zweite Lehrjahr. (mit der Ausbildung fertig sein)

5 Anja und Helena müssen immer an der Kasse arbeiten. (Kunden beraten)

6 Die Sekretärin muss um 7 Uhr mit der Arbeit anfangen. (später anfangen)

7 Elisa weiß nicht, wo sie nach der Ausbildung arbeiten kann. (es wissen)

zu Sehen und Hören 1, S. 53, Ü2

7 Irreales ausdrücken 🖳 ÜBUNG 8   GRAMMATIK

Wählen Sie passende Antworten. Verwenden Sie auch die Originalform des Konjunktiv II.

Was **würden** Sie **tun**, …

– **wenn** Sie Auszubildender **wären**?
– **wenn** Sie Ausbilder oder Meister **wären**?

~~immer pünktlich zur Arbeit kommen~~ · die Ausbildungsschritte gut planen · viele Fragen haben · zur Berufsschule gehen · freundlich, aber streng sein · viele Fragen beantworten müssen · genaue Anweisungen geben · gern mit netten Kollegen zusammenarbeiten · viel Neues lernen müssen

Wenn ich Auszubildender wäre, würde ich immer pünktlich zur Arbeit kommen.

Oder: *Wenn ich Auszubildender wäre, käme ich immer pünktlich zur Arbeit.*

zu Sehen und Hören 1, S. 53, Ü4

8 Verkürzte irreale Sätze 🖳 ÜBUNG 9, 10   GRAMMATIK

Formen Sie irreale *wenn*-Sätze in Sätze ohne *wenn* um.

1 Wenn Lisa Ammer nicht Vollzeit berufstätig wäre, hätte sie mehr Zeit für ihre Hobbys.
2 Wenn Nick Gerner Beamter wäre, könnte man ihn nicht entlassen.
3 Wenn Diana Stoffers eine eigene Firma gründen würde, wäre sie endlich unabhängig.
4 Wenn Eva Leb als Schneiderin nicht so zufrieden wäre, würde sie sich einen anderen Beruf suchen.
5 Wenn Linda Sachs mehrere Fremdsprachen könnte, dann hätte sie mehr Chancen bei der Jobsuche.

1 Wäre Lisa Ammer nicht Vollzeit berufstätig, hätte sie mehr Zeit für ihre Hobbys.

LEKTION 5

zu Lesen 1, S. 54, Ü2

9 Ich war bei einem Speed-Dating! 🖳 ÜBUNG 11

WORTSCHATZ

a Lesen Sie das Telefongespräch und ergänzen Sie.

> behandelt · ~~bewerben~~ · geführt · entschieden ·
> bloß · aufgeregt · geeignet · Vorstellungsgespräch ·
> gewöhnt · Bewerbungsmappe · gelohnt · sympathisch

● Hallo Sebastian, hier ist Marta.

■ Hey, hallo Marta, schön, dass du mal wieder anrufst!
Wie läuft es denn so?

● Du wirst es nicht glauben, ich war gestern bei einem
Speed-Dating!

■ Was? Bei einem Speed-Dating? Ich dachte, du bist glücklich mit Mika?

● Bin ich ja! Das Thema war aber dabei nicht Partnersuche, sondern es ging darum, sich um einen
Job zu ___bewerben___ (1). Es waren eine Menge Firmen und Bewerber da und man hatte jeweils
zehn Minuten für jedes _____ (2).

■ Das klingt ja spannend. Warst du sehr _____ (3)?

● Klar war ich nervös, aber wenn man mal ein oder zwei Gespräche _____ (4) hat, wird
man ruhiger und _____ (5) sich an die Situation. Außerdem haben die Personalchefs
uns Bewerber wirklich freundlich _____ (6).

■ Man hat also wirklich _____ (7) zehn Minuten Zeit pro Gespräch? Ganz schön wenig.
Und wie läuft das genau ab?

● Als Erstes sieht sich der potenzielle Arbeitgeber die _____ (8) an. Danach
muss man noch alle möglichen Fragen beantworten. Wichtig ist natürlich auch, dass sich die
Gesprächspartner _____ (9) finden.

■ Und wie ist es bei dir am Ende ausgegangen? Hat sich eine Firma für dich
_____ (10)?

● Es scheint so, denn ein Personalchef meint, ich bin für die Stelle als Marketing-Assistentin
gut _____ (11) und er würde mich gern einstellen. Das heißt, das Speed-Dating hat
sich für mich auf jeden Fall _____ (12).

■ Mensch, Glückwunsch, Marta, ich glaube zum nächsten Speed-Dating gehe ich auch mal hin ...

🎧 29 b Hören Sie nun das Gespräch und kontrollieren Sie.

zu Lesen 1, S. 55, Ü3

10 *Damit – um ... zu*

GRAMMATIK

Franks Ziele: Für wen macht er das? Markieren Sie.

	für sich	für seinen Chef	für seine Freundin
1 Frank hat ein gutes Abitur gemacht, um Informatik zu studieren.	☒	☐	☐
2 Er hat sich sehr angestrengt, damit seine Freundin stolz auf ihn ist.	☐	☐	☐
3 Er macht oft Überstunden, damit sein Chef zufrieden ist.	☐	☐	☐
4 Frank arbeitet auch noch in einer Kneipe, um seine Schulden zurückzuzahlen.	☐	☐	☐
5 Frank macht eine Fortbildung, damit sein Chef ihm andere Projekte gibt.	☐	☐	☐

LEKTION 5

zu Lesen 1, S. 55, Ü3

11 Wozu macht man das? 🖥 ÜBUNG 12, 13   GRAMMATIK

Schreiben Sie Sätze mit *um ... zu*.

> pünktlich zum Bewerbungsgespräch kommen · einen sicheren Arbeitsplatz haben · ~~sich über~~
> ~~offene Stellen informieren~~ · viele Gespräche führen können · eine gute Arbeitsstelle finden

1 Ich sehe mir Stellenangebote im Internet an, *um mich über offene Stellen zu informieren.*
2 Ich schreibe viele Bewerbungen, _____
3 Die Personalchefs sprechen nur 10 Minuten mit jedem Bewerber, _____
4 Markus entscheidet sich für die Stelle als Beamter, _____
5 Anne fährt früh los, _____

zu Lesen 1, S. 55, Ü3

12 Was Sie alles tun sollten, *um ... zu/damit ...*   GRAMMATIK

Schreiben Sie je einen Ratschlag mit *um ... zu* und einen mit *damit*.

1 Wozu sollte Paul eine Ausbildung abschließen?
 (Er hat gute Berufschancen. / Seine Eltern müssen ihn nicht mehr finanziell unterstützen.)
 Paul sollte eine Ausbildung abschließen, *um gute Berufschancen zu haben.*
 Er sollte eine Ausbildung abschließen, *damit seine Eltern ihn nicht mehr finanziell*
 unterstützen müssen.

2 Wozu sollte Carina eine eigene Firma gründen?
 (Kein Chef kann ihr etwas sagen. / Sie verdient einmal viel Geld.)
 Carina sollte eine eigene Firma gründen, _____
 Sie sollte eine eigene Firma gründen, _____

3 Wozu sollte Arthur einen Sprachkurs machen?
 (Er verbessert seine Fremdsprachenkenntnisse. / Seine Firma kann ihn ins Ausland schicken.)
 Arthur sollte einen Sprachkurs machen, _____
 Er sollte einen Sprachkurs machen, _____

4 Wozu sollte Ronja sich arbeitslos melden?
 (Die Agentur für Arbeit bezahlt ihr Arbeitslosengeld. / Sie bekommt neue Stellenangebote.)
 Ronja sollte sich arbeitslos melden, _____
 Sie sollte sich arbeitslos melden, _____

zu Lesen 1, S. 55, Ü3

13 Tipps für Berufseinsteiger 🖥 ÜBUNG 14, 15, 16   GRAMMATIK

Ergänzen Sie die Sätze mit *um ... zu* oder *damit*.

1 Sie sollten sich bei mehreren Firmen bewerben,
 um
2 Sie sollten pünktlich zum Bewerbungsgespräch
 kommen, *damit*
3 Bei einem Vorstellungsgespräch muss man sich
 passend kleiden, _____
4 Ein Freund oder eine Freundin sollte das Gespräch
 vorher mit Ihnen üben, _____
5 Man sollte sich vorher gut über die Firma
 informieren, _____

5

73

LEKTION 5

zu Lesen 1, S. 55, Ü3

14 Résiste! Aufstand der Praktikanten

FILMTIPP/LESEN

Bringen Sie die Zusammenfassung der Filmhandlung
in die richtige Reihenfolge:

		1		
A	B	C	D	E

A Mit ein paar Freunden, die ähnliche Erfahrungen gemacht haben,
gründet er eine eigene Praktikanten-Beraterfirma und wird selbst
zum „kapitalistischen" Unternehmer, für den nur Geld zählt.

B Und als auch noch die attraktive Halbfranzösin Sydelia mit ihren
sozialistischen und revolutionären Ideen in sein Leben tritt,
ändert sich sein Weltbild.

C In dem Film „Résiste! – Aufstand der Praktikanten" geht es um den jungen Till. Er hat genug
davon, als ewiger, schlecht bezahlter Praktikant auf eine Festanstellung zu hoffen.

D Schließlich organisiert er als Chef der Praktikanten-Beraterfirma zusammen mit seiner
revolutionären Freundin einen gigantischen Generalstreik der Praktikanten, der ganz
Deutschland stillstehen lässt.

E Doch schon bald erkennt Till die Absicht seiner Geschäftspartner, sich finanzielle Vorteile zu
verschaffen.

zu Wortschatz, S. 56, Ü1

15 Lebensläufe 🖥 ÜBUNG 17

WORTSCHATZ

a **Lesen Sie zwei Lebensläufe zu den vier Personen aus dem Kursbuch S. 56 und ergänzen Sie.**

1 „Also, nach der Grundschule habe ich ein Gymnasium ___besucht___ (1). Das Abitur habe
ich Gott sei Dank geschafft! Ich wollte nicht gleich studieren, deshalb habe ich eine
Berufsausbildung zur Maskenbildnerin _____ (2). Die habe ich dann mit sehr guten
Noten _____ (3). Trotzdem konnte mich das Theater nicht übernehmen und ich
musste mich _____ (4) melden. Schließlich habe ich einen Platz als Praktikantin an
der Oper _____ (5). Man bekommt zwar nur ein minimales _____ (6),
aber die Arbeit macht unheimlich viel Spaß. Mal sehen, wie es weitergeht ..."

2 „Mein beruflicher Werdegang ist relativ schnell erzählt. Ja, nach der Schule habe ich an der
Fachhochschule für Wirtschaft in Köln Betriebswirtschaft studiert und mein Studium in
sechs Semestern _____ (7). Da war ich 22. Damals wollte ich so schnell wie möglich
berufstätig sein und eine feste Anstellung _____ (8). Inzwischen bin ich seit
15 Jahren bei den Stadtwerken in Köln tätig und kann nicht mehr _____ (9) werden.
Wahrscheinlich bleibe ich hier, bis ich in _____ (10) gehe."

A   B   C   D

b Welcher Lebenslauf passt zu wem? Warum? Schreiben Sie 3–4 Sätze pro Person.

> Der Lebenslauf 1 passt am besten zu Person …
> Die/Der siehst ziemlich … aus. Und sie/er hat
> vielleicht auch …

zu Wortschatz, S. 56, Ü2

16 Berufstätigkeit 🖥 ÜBUNG 18

Was passt nicht? Streichen Sie durch.

1 Arbeitnehmer – ~~Mitarbeiter~~ – Angestellter – Selbstständiger
2 Lohn – Gehalt – Steuern – Einkommen
3 Praktikant – Rentner – Beamter – Urlauber
4 einstellen – kündigen – entlassen – feuern
5 Rentenversicherung – Autoversicherung – Arbeitslosenversicherung – Krankenversicherung
6 Atelier – Werk – Universität – Fabrik
7 berufstätig – angestellt – arbeitslos – in Ausbildung

zu Wussten Sie schon?, S. 57

17 Beamte 🖥 ÜBUNG 19

a Sehen Sie den Witz über Beamte an.
Welches Klischee über das typische
Beamtenleben steckt hinter dem Witz?
Markieren Sie.

GEHST DU MIT IN DIE MITTAGSPAUSE ODER ARBEITEST DU WIEDER DURCH?

☐ Beamte arbeiten meistens ohne
   Mittagspause durch.
☐ Beamte nutzen ihre Mittagspause zum
   Schlafen, um danach mehr Leistung zu
   bringen.
☐ Beamte streiken oft in der Mittagspause.
☐ Beamte arbeiten wenig und schlafen
   manchmal sogar am Arbeitsplatz.

b Warum gibt es „Beamtenwitze"? Lesen Sie den Text und schreiben Sie zwei Gründe.

> Beamte haben einen sehr sicheren, soliden Arbeitsplatz, weil ihnen nicht gekündigt
> werden kann. Auch ihre Arbeitsbedingungen, zu denen Arbeitszeiten, Überstunden,
> Pausen usw. gehören, sind klar geregelt. Wahrscheinlich beneiden andere Arbeitnehmer
> die Beamten oft heimlich um diese „Privilegien", sodass im Laufe der Zeit eine Menge
> 5 sogenannter „Beamtenwitze" entstanden sind. Darin werden Beamte meist als bequeme,
> nicht allzu fleißige Menschen dargestellt, denen es nur darum geht, während ihrer
> Arbeitszeit möglichst wenig zu arbeiten.

Es gibt viele Beamtenwitze, weil _____

Außerdem _____

zu Wortschatz, S. 57, Ü3

18 Was braucht man *zum ...*?

GRAMMATIK

Ordnen Sie zu und schreiben Sie die Sätze.

1 zaubern	einen Taschenrechner oder Mathematikkenntnisse
2 rechnen	eine Kasse und Wechselgeld
3 kassieren	Material und ein Grundstück
4 Auto fahren	Abitur
5 studieren	einen Zauberstab
6 bauen	einen Führerschein und ein Fahrzeug

Zum Zaubern braucht man einen Zauberstab.

zu Wortschatz, S. 57, Ü3

19 Was benutzen Sie selbst an Ihrem Arbeitsplatz? 🖥 ÜBUNG 20

SCHREIBEN

Schreiben Sie einen kurzen Text. Verwenden Sie die Adverbien *manchmal, meistens, oft, selten, immer.*

Zum Telefonieren benutze ich meistens das Handy. ...

zu Sprechen, S. 58, Ü1

20 Small Talk 🖥 ÜBUNG 21

WORTSCHATZ

a Ordnen Sie den Fragen die Antworten zu.

Marius

1 Und wie bist du auf die Idee gekommen, Pilotin zu werden? Das ist ja eher so ein typischer Männerberuf, oder?

2 Ist bestimmt nicht leicht, da reinzukommen! Was braucht man denn da für Voraussetzungen?

3 Und ist es denn auch dein Traumjob?

4 Was, andererseits?

5 Verstehe ich, ... Ich wünsch' dir auf jeden Fall weiterhin ganz viel Spaß beim Fliegen!

Bianca

A Spaß macht es auf jeden Fall. Man kommt in der ganzen Welt herum. Und man hat ziemlich viel Verantwortung, das gefällt mir. Andererseits ...

B Danke!

C Das stimmt, lange war das wohl auch so, aber inzwischen sind Frauen da völlig gleichberechtigt. Mich persönlich hat Fliegen jedenfalls schon immer interessiert, mein Onkel hat einen Flugschein und da durfte ich früher schon ein paar Mal mitfliegen. Also habe ich mich bei der Lufthansa um einen Ausbildungsplatz zur Pilotin beworben. Das hat dann auch geklappt.

D Es kann auch manchmal etwas anstrengend sein.

E Ja, erstmal wird man getestet – mathematische Begabung, technisches Wissen, Englischkenntnisse. Körperlich fit muss man natürlich auch sein!

🔊 C30 **b** Hören Sie das Gespräch und kontrollieren Sie.

c Welche Wörter haben im Gespräch die gleiche Bedeutung? Ordnen Sie zu.

1 absolut
2 funktionieren
3 auf jeden Fall
4 ist notwendig für den Beruf
5 kostet viel Energie und Nerven
6 haben die gleichen Chancen und Rechte
7 Talent

klappen
gleichberechtigt
anstrengend
völlig
Begabung
Voraussetzungen
jedenfalls

zu Sprechen, S. 58, Ü2

21 Was würde dich interessieren? 🖥 ÜBUNG 22   **KOMMUNIKATION**

Lesen Sie und ergänzen Sie.

> für diesen Beruf braucht man vor allem · Außerdem hätte ich
> die Möglichkeit · ~~wäre ich gern~~ · ist auch oft anstrengend ·
> Gut gefällt mir · wollte ich schon · würde ich jeden Tag ·
> würde ich mir wünschen

„Also, ich bin ja jetzt noch Schüler. Nächstes Jahr mache ich
mein Abitur. Ich weiß noch nicht genau, was ich dann machen
werde. Aber einen Traumberuf habe ich schon: Wenn ich wählen
könnte, _wäre ich gern_ (1) Arzt. Ich denke, _____ (2)
Interesse an Medizin und Gesundheit. Als Arzt _____ (3) einige Stunden
Sprechzeit für meine Patienten am Vormittag und am späten Nachmittag bis zum Abend
einrichten. _____ (4), dass ich vielen Menschen wirklich helfen kann, wieder gesund
zu werden. _____ (5), mich weiterzubilden und neue Therapiemethoden
auszuprobieren. Das wäre spannend. Aber der Beruf _____ (6), da manchmal Menschen mit einer schweren Krankheit kommen. Natürlich _____ (7),
allen helfen zu können, wieder gesund zu werden. Das _____ (8) als kleiner
Junge."

zu Sprechen, S. 58, Ü2

22 Ihr Traumberuf?   **SPIEL**

a Notieren Sie auf einem Blatt einige Sätze über Ihren Traumberuf.
Verwenden Sie auch Redemittel aus Übung 21. Schreiben Sie keinen Namen dazu.

> Ich wäre gern Schauspielerin ...
> Für diesen Beruf braucht man vor allem ...
> ...

b Ihre Lehrerin / Ihr Lehrer sammelt die Blätter ein und verteilt sie.
Lesen Sie den Text vor und raten Sie im Kurs: Wer hat das geschrieben?

zu Lesen 2, S. 59, Ü1

23 Textzusammenfassung

WORTSCHATZ

Lesen Sie die Stellenanzeige von *KAUF-GALAXIE* im Kursbuch S. 59 und ergänzen Sie.

erwartet · umzuziehen · Ausbildung · Verantwortung übernehmen · ausgezeichnet · ~~Waren~~

Von unseren Bewerbern werden Mathematikkenntnisse und ein gutes Abitur _____ (1).
Natürlich sollten Sie sich für unsere ___Waren___ (2) interessieren und Sie müssen bereit sein,
_____ (3). Man kann eine praxisorientierte _____ (4) zur/zum Assistentin/
Assistenten der Abteilungsleiterin/des Abteilungsleiters machen. Nach einem dualen Studium kann
man _____ (5) und selbst kaufmännische Führungskraft werden.
Die Chancen auf einen spannenden, vielversprechenden Arbeitsplatz sind _____ (6)!

zu Lesen 2, S. 59, Ü1

24 Berufliche Ziele 📖 ÜBUNG 23

WORTSCHATZ

a   **Was bedeutet das? Ordnen Sie zu.**

1 den eigenen Weg bestimmen
2 jemanden von seiner Qualität überzeugen
3 Verantwortung übernehmen
4 aktiv handeln
5 Aufstiegschancen haben
6 Vor- und Nachteile der Ausbildung sehen

tätig werden
positive und negative Aspekte erkennen
Karriere machen können
jemandem zeigen, was man gut kann
für die Folgen einer Handlung geradestehen
selbst entscheiden, wie es beruflich weitergeht

b   **Welche dieser Ziele sind für Sie persönlich wichtig, welche haben weniger Bedeutung? Schreiben Sie.**

„ *Besonders wichtig ist/wäre für mich ... zu ... Das kann/könnte ich zum Beispiel, wenn ich ...*
Ich möchte aber auch gern ... beispielsweise ...
Es ist für mich nicht so wichtig, ... zu ...
Ich habe auch (nicht) die Absicht, ...
Außerdem hätte ich vermutlich Schwierigkeiten, ... zu ... "

zu Schreiben, S. 60, Ü1

25 Bewerbungsschreiben 📖 ÜBUNG 24

KOMMUNIKATION

a   **Welche Formulierungen passen für ein Bewerbungsschreiben? Markieren Sie.**

1 Sehr geehrte Damen und Herren, ☒
2 In der Schule fand ich die Fächer ... absolut cool. ☐
3 Aus folgenden Gründen halte ich mich für diese Position geeignet: ☐
4 Liebe Frau ..., ☐
5 Ich habe mein Abi im Sommer ziemlich gut gemacht. ☐
6 An dieser verantwortungsvollen Stelle bin ich sehr interessiert. ☐
7 Mein Abitur habe ich mit einem guten Notendurchschnitt abgelegt. ☐
8 Ich glaube, dass ich locker alles kann, was Sie so verlangen. ☐
9 In eine andere Stadt umzuziehen, wäre gar kein Problem. ☐
10 Meine bevorzugten Schulfächer waren ... ☐
11 Der Job würde mir, glaube ich, großen Spaß machen. ☐
12 Es wäre nett, mal persönlich mit Ihnen zu reden. ☐
13 mit großem Interesse habe ich Ihre Anzeige in ... gelesen. ☐
14 Zu einem Ortswechsel wäre ich jederzeit bereit. ☐
15 Über die Möglichkeit zu einem persönlichen Gespräch würde ich mich sehr freuen. ☐
16 Mit freundlichen Grüßen ☐

b Ordnen Sie die markierten Formulierungen aus a den Inhaltspunkten zu.
Es können mehrere Formulierungen zu einem Punkt passen.

Inhalt	Formeller Brief/Bewerbungsschreiben
Anrede:	1, …
Grund für das Schreiben:	
Eigene Qualifikation:	
Was man für die Stelle tun würde:	
Schlusssatz:	
Gruß:	

zu Sehen und Hören 2, S. 61, Ü2

26 Interview – Fragen und Antworten

KOMMUNIKATION

Lesen Sie Lucianos Antworten aus dem Radiointerview.
Formulieren Sie mögliche Fragen der Reporterin dazu.

1 **Reporterin:** Was macht man eigentlich in der Ausbildung zum Bankkaufmann?

Luciano: In den zwei Jahren beginnt man anfangs am Schalter zu arbeiten und dann geht's los mit Kundengesprächen.

2 **Reporterin:** _____

Luciano: Ne, anfangs sitzt man eigentlich dabei und hört zu und dann die einfachen Dinge kann man dann auch irgendwann alleine machen, wie zum Beispiel eine Kontoeröffnung.

3 **Reporterin:** _____

Luciano: Genau, zusätzlich geht man zur Schule – drei Wochen, vier Wochen dauert die Berufsschule immer und zwischendurch arbeitet man wieder – also es ist immer ein fliegender Wechsel.

4 **Reporterin:** _____

Luciano: Ja, für mich war es wichtig, eine solide, gute, kaufmännische Ausbildung zu machen und da hat sich Bankkaufmann eigentlich recht gut angeboten und ich seh' das auch als Lebensgrundlage, sich eine gute Basis zu verschaffen und eine gute Ausbildung zu haben.

5 **Reporterin:** _____

Luciano: Pläne hab' ich; nach der Ausbildung auf jeden Fall mal studieren – also ich will schon weiter lernen, mich weiterbilden und die Ausbildung als Grundlage sehen.

6 **Reporterin:** _____

Luciano: Mich interessiert Politik. In der Richtung könnte ich mir schon vorstellen, etwas zu machen.

7 **Reporterin:** _____

Luciano: Es ist lustig, es ist einfach dieses Klischee eines Bankers, man muss auch so sein, weil man seriös rüberkommen muss, weil man eben mit Geld arbeitet. Aber eigentlich hinter den Kulissen macht man auch unter den Kollegen Scherze darüber.

zu *Wussten Sie schon?*, S. 61

27 Duale Berufsausbildung

LANDESKUNDE/LESEN

Lesen Sie den Zeitungsartikel und markieren Sie.

1 In den Ländern mit dualer Berufsausbildung
- ☐ wollen viele junge Leute Automobilkaufmann oder Zimmermann werden.
- ☐ haben mehr Menschen eine berufliche Qualifikation als anderswo.
- ☐ kann man nur zwischen wenigen Ausbildungsberufen wählen.

2 Für eine duale Berufsausbildung entscheidet sich
- ☐ mehr als die Hälfte aller Jugendlichen.
- ☐ jeder sechste Jugendliche.
- ☐ ein Teil der arbeitslosen Jugendlichen.

3 Wer einen Chefposten in einer Firma will,
- ☐ muss auf jeden Fall studieren.
- ☐ muss sich mit dem alten Chef gut verstehen.
- ☐ kann sich auch ohne Studium über Weiterbildung qualifizieren.

Die duale Berufsausbildung: Ein Erfolgsmodell in Deutschland, Österreich und der Schweiz

Weil sich in allen drei Ländern relativ viele Jugendliche nach der Schule für eine Ausbildung entscheiden, ist die Jugendarbeitslosigkeit geringer als in zahlreichen anderen
5   Industrieländern.

Von A wie Automobilkaufmann bis Z wie Zimmermann: Die Jugend in den D-A-CH-Ländern, also in Deutschland, Österreich und der Schweiz, hat eine große Auswahl an Ausbildungsberufen. Im internationalen Vergleich gibt es hier deutlich mehr beruflich qualifizierte Menschen als in anderen Ländern. Die dualen Berufsbildungssysteme sind auch
10 ein wichtiger Faktor für den wirtschaftlichen Erfolg. Und zwar aus folgenden Gründen: In Ländern, die ihren Nachwuchs in der Kombination von Betrieb und Berufsschule ausbilden, gibt es nach der Ausbildung traditionell weniger Probleme für die jungen Leute, einen festen Arbeitsplatz zu finden. Rund sechs von zehn Schulabsolventen eines Jahrgangs schließen hier einen Ausbildungsvertrag ab.
15 Länder mit einem beruflichen Ausbildungssystem bieten ihren Bürgern mehr Chancen, sich zu qualifizieren. In den D-A-CH-Ländern gibt es durch die duale Berufsausbildung viele Fachkräfte. Auch nach ihrem Berufsabschluss haben sie zahlreiche Möglichkeiten, sich beruflich weiterzuqualifizieren. Viele schaffen so auch den Weg in die Chefetagen.

28 Interessante Berufe

MEIN DOSSIER

a   Machen Sie interessante Fotos von Menschen an ihrem Arbeitsplatz oder suchen Sie geeignete Fotos in Zeitungen oder im Internet.

b   Schneiden oder drucken Sie die Fotos aus und kleben Sie sie ein. Kommentieren Sie die Bilder mit Ihren Gedanken.

Ich wüsste gern, was er da gerade entdeckt hat. ...

LEKTION 5

— AUSSPRACHE: Wortakzent —

CD 1 31–32   1   Hören Sie die Wörter. Welche Silben sind betont? Markieren Sie und lesen Sie dann die Wörter laut.

a   Trennbare – untrennbare Verben

trennbar	untrennbar
einstellen	entlassen
beibringen	bewerben
vorstellen	gewöhnen
ablehnen	erkennen
auswählen	verdienen

b   Deutsche Wörter – Fremdwörter

Deutsche Wörter	Fremdwörter
Arbeit	Abitur
Stelle	Mobilität
Künstler	Ingenieur
Zukunft	Information
Werkstatt	Büro

2   Zusammengesetzte Nomen

CD 1 33   a   Hören Sie die Wörter und ergänzen Sie.

1 Bildung – (Weiter)bildung

2 Gespräch – _____

3 Schule – _____

4 Vertrag – _____

5 Platz – _____

6 Versicherung – _____

CD 1 33   b   Hören Sie noch einmal und markieren Sie: Welches Wort ist betont?

3   „Brummen"

CD 1 34   a   Hören Sie „gebrummte" Wörter.
Welches Wort hören Sie? Markieren Sie.

1 ☒ Zukunft
2 ☐ Ausbildung
3 ☐ Arbeitsvertrag
4 ☐ Vorstellungsgespräch
☐ Büro
☐ Ingenieur
☐ Information
☐ Bewerbungsgespräch

b   Ordnen Sie die Wörter aus a den Betonungsmustern zu.

1 ●•   Zukunft
2 ●•••• _____
3 ●••• _____
4 •● _____
5 ●•• _____
6 •●••• _____
7 •••● _____
8 ••● _____

c   „Brummen" Sie nun selbst ein Wort aus Übung 3. Die anderen raten.

hm HM

Büro?

81

LEKTION 5 LERNWORTSCHATZ

das Atelier, -s _____

der/die Auszubildende, -n _____

das Schaufenster, - _____

der Schneider, - _____

die Schneiderin, -nen _____

nähen _____

sich etwas vorstellen _____

die Küste, -n _____

die Schulden (Pl.) _____

beibringen* _____

gründen _____

berühmt _____

finanziell _____

offiziell _____

die Absicht, -en _____

der Arbeitgeber, - _____

die Bedingung, -en _____

die Bewerbung, -en _____

die Chemie (Sg.) _____

der Druck (Sg.) _____

   der Zeitdruck (Sg.) _____

die Energie, -n _____

   der Energiekonzern, -e _____

die Geschwindigkeit, -en _____

der Vertreter, - _____

sich entscheiden* für (+ Akk.) _____

sich kurzfassen _____

sich gewöhnen an (+ Akk.) _____

lächeln _____

überprüfen _____

bloß _____

damit _____

jedoch _____

um ... zu _____

der/die Angestellte, -n _____

der Beamte, -n _____

die Beamtin, -nen _____

der Bund (Sg.) _____

das Einkommen, - _____

   die Einkommenssteuer, -n _____

das Gehalt, ⸚er _____

der Knopf, ⸚e _____

die Nadel, -n _____

der Polizist, -en _____

der Praktikant, -en _____

die Praktikantin, -nen _____

die Rente, -n _____

die Tafel, -n _____

das Unternehmen, - _____

die Versicherung, -en _____

das Werk, -e _____

einstellen _____

entlassen* _____

in Rente gehen*/sein* _____

kündigen _____

operieren _____

streiken _____

sozialversichert sein* _____

berufstätig _____

staatlich _____

solange _____

LEKTION 5 LERNWORTSCHATZ

das Abitur / das Abi (Sg.) _____   anstrengend _____
der Pilot, -en _____   völlig _____
die Pilotin, -nen _____   gleichberechtigt _____
die Voraussetzung, -en _____   jedenfalls _____

verwenden _____

das Fach, ̈er _____   die Verantwortung, -en _____
der Mitarbeiter, - _____   sich bewerben* um (+ Akk.) _____
die Mitarbeiterin, -nen _____

die Grundlage, -n _____   das Vorstellungsgespräch, -e _____
das Interesse, -n _____

der Grund, ̈e _____   die Werbung (Sg.) _____
die Schwierigkeit, -en _____   der Werbefilm, -e _____
das Video, -s _____

5

WELCHE WÖRTER MÖCHTEN SIE NOCH LERNEN?

_____
_____
_____
_____
_____
_____
_____
_____
_____
_____
_____
_____
_____
_____

LEKTIONSTEST 5

1 Wortschatz

Was ist richtig? Markieren Sie.

Sandra hat sich vor zwei Monaten um eine neue Stelle *entschieden / erhalten / beworben* (1). Für die Bewerbung musste sie spezielles Papier *verwenden / bestimmen / behandeln* (2). Von einer Firma, die neue Mitarbeiter *entlassen / verwenden / einstellen* (3) will, bekam sie eine Einladung zu einem Vorstellungsgespräch. Als Sandra dorthin ging, war sie natürlich sehr *geeignet / aufgeregt / anstrengend* (4). Die Stelle interessiert Sandra, weil sie *Verantwortung / Voraussetzung / Vorteil* (5) übernehmen möchte. Die Firma baut gerade ein neues *Haus / Werk / Büro* (6), weil sich die Produktion verbessern soll.

Je 1 Punkt   Ich habe _____ von 6 möglichen Punkten erreicht.

2 Grammatik

a **Berufswünsche: Ergänzen Sie im Konjunktiv II.**

| gründen · haben · einstellen · |
| sein · kommen · müssen |

Simon _____ gern einen eigenen Betrieb _____ (1). Dafür _____ (2) er natürlich erst einmal Schulden machen und sehr viel arbeiten. Mit der Zeit _____ er dann aber immer mehr Mitarbeiter _____ (3). Seine Eltern _____ (4) auf jeden Fall stolz auf ihn. Natürlich _____ (5) sie zu jeder Firmenfeier. Mit 50 Jahren _____ (6) er dann genug Geld, um nicht mehr arbeiten zu müssen.

Je 1 Punkt   Ich habe _____ von 6 möglichen Punkten erreicht.

b **Schreiben Sie Sätze ohne *wenn*.**

1 Wenn meine Eltern schon in Rente wären, würden sie sich ein neues Hobby suchen.
2 Wenn ich nähen könnte, würde ich mir schöne Stoffe kaufen.
3 Wenn die Mitarbeiter streiken würden, hätten sie eine Chance auf mehr Gehalt.
4 Wenn man zwei Jobs machen müsste, wäre das sehr anstrengend.

Je 2 Punkte   Ich habe _____ von 8 möglichen Punkten erreicht.

c **Ergänzen Sie *um ... zu, damit, zum* oder – .**

1 In der Wirtschaftskrise musste die Firma mehrere Angestellte entlassen, _____ weiter _____ existieren. Das meinte jedenfalls die Firmenleitung. _____ Arbeitslosengeld _____ erhalten, müssen sich die entlassenen Mitarbeiter arbeitslos melden.
2 Arbeitslose Personen müssen sich auch bei der Agentur für Arbeit vorstellen, _____ die Agentur ihnen neue Stellen _____ anbieten kann.
3 _____ Lesen von kleingedruckten Texten brauchen viele Leute _____ eine Brille.
4 Herr Rose benutzt _____ Arbeiten außerhalb des Büros _____ ein Smartphone.

Je 1 Punkt   Ich habe _____ von 5 möglichen Punkten erreicht.

3 Kommunikation

Verbinden Sie die Teile zu sinnvollen Aussagen.

1 Für diesen Beruf braucht	wäre ich	nicht so wichtig.
2 Zu einem Ortswechsel	die Möglichkeit,	für die Stelle geeignet.
3 Ein hohes Einkommen	wäre für mich	Karriere zu machen.
4 Aus folgenden Gründen	man vor allem	jederzeit bereit.
5 Außerdem hätte ich	halte ich mich	Spaß am Verkauf.

Je 1 Punkt   Ich habe _____ von 5 möglichen Punkten erreicht.

Auswertung: Vergleichen Sie Ihre Lösungen mit S. 135.
Ihre Erfolgspunkte tragen Sie unter jeder Aufgabe ein.

Ich habe _____ von 30 möglichen Punkten erreicht.

☺	☺	☹
30–26	25–15	14–0

1 Musik

Lesen Sie die Anzeigen und ergänzen Sie.

> Musik • CD • Tickets • Instrumente • Sänger • ~~Album~~ • Konzert • Disco • Stimme • Eintritt

[1] Wer hat das erste _Album_ von den Rolling Stones? Suche es verzweifelt. Janina 0160-3422567

[2] Cellolehrer erteilt Musikunterricht. Nur 25 Euro pro Stunde. Auch andere _____ (Klavier, Geige, Kontrabass); Christian: 0160-56789

[3] Tausche die letzte Robbie Williams _____ gegen die neue _____ von Take That. ☺ monim@yabadoo.de

[4] Habe noch zwei _____ für das Silbermond Konzert im Mai. Wer kommt mit? Susi 0174-67432

[5] Eine Party steht an? DJ Basti macht Euren Partyraum zu einer _____! Von Hip-Hop bis House, Reggae bis Rave habe ich alles. Auch _____ aus den 80ern und 90ern. Ruft mich an! Basti 0172-34882

[6] Jeder hat eine schöne _____! Der sing & swing Chor sucht noch _____. Wir treffen uns jeden Donnerstagabend. Wer hat Lust? Bitte melden bei Lea: 0173-357899

[7] Sommer – Sonne – Sterne! Wie jedes Jahr findet am 27. Juli unser Vollmond-_____ statt. _____: nur 5 Euro für 5 Bands! Tickets bekommt Ihr im Vorverkauf oder an der Abendkasse.

6

---

zu Hören 1, S. 64, Ü1

2 Musikalische Wunderkinder aus drei Jahrhunderten 💻 ÜBUNG 1　　WORTSCHATZ

Ergänzen Sie.

> ~~Melodien~~ • Konzert • Stücke • Geige • Opern • Musikwettbewerb

1 **Amy Beach** (1867–1944, Komponistin und Pianistin) soll bereits als Einjährige 40 verschiedene
Melodien gesungen haben. Mit drei Jahren brachte sie sich selbst das Lesen bei.

2 **Anne-Sophie Mutter** (* 1963, Geigerin) wurde mit 6 Jahren entdeckt, als sie einen
_____ gewann. Später spielte sie dann Geige bei den Berliner Philharmonikern und wurde ein Star.

3 **Wolfgang Amadeus Mozart** (1756–1791, Komponist) gab mit 6 Jahren sein erstes _____
und komponierte zahlreiche berühmte Musikstücke und _____ wie die Zauberflöte.

4 **Felix Mendelssohn Bartholdy** (1809–1847, Komponist und Pianist) hatte schon mit 11 Jahren
über 60 _____ komponiert.

5 **Yehudi Menuhin** (1916–1999, Violinist und Dirigent) spielte mit 12 Jahren _____ bei
den Berliner Philharmonikern.

zu Hören 1, S. 64, Ü3

3 *Nicht, nichts* oder *kein-*?

Was ist richtig? Markieren Sie.

1 Ich hole dich dann gegen sieben ab, wenn du *nicht/(nichts)/kein* dagegen hast.
2 Das Konzert findet schon am Freitag statt und *nicht/nichts/kein* erst am Samstag.
   Aber das macht *nicht/nichts/kein*.
3 Ich habe an der Abendkasse leider *nicht/nichts/keine* Karten mehr bekommen.
4 Der CD-Player funktioniert *nicht/nichts/kein*.
5 Ich spiele *nicht/nichts/kein* Instrument. Ich möchte aber gern Gitarre lernen.
6 Er hat die Tickets für die Vorstellung noch *nicht/nichts/keine* gekauft.

zu Hören 1, S. 64, Ü3

4 Negationswörter

GRAMMATIK

Ergänzen Sie.

> niemand • nichts • nirgends • nie/niemals • ~~niemand~~

1 Mozart war bereits als Kind am Kaiserhof in Wien bekannt, denn   niemand   in seinem Alter
  spielte so gut Klavier.
2 Schon als Siebenjähriger reiste er viel, aber _____ fühlte er sich so wohl wie zu Hause
  in Salzburg.
3 Auch die Stargeigerin Anne-Sophie Mutter war schon als Kind so intensiv mit Geige-Lernen
  beschäftigt, dass sie _____ in eine normale Schule ging, sondern privaten
  Schulunterricht bekam.
4 Für musikalisch hochbegabte Kinder ist _____ so wichtig wie die Musik.
5 Das Gesicht der Pianistin Clara Schumann erkennt in Deutschland heute fast _____
  mehr. Früher war das Bild der Künstlerin auf dem 100-DM-Schein abgedruckt.

zu Hören 1, S. 64, Ü3

5 *Etwas/nichts, immer/nie ...* ÜBUNG 2, 3, 4

GRAMMATIK

Ergänzen Sie.

> etwas • nichts • nie(mals) • ~~nirgendwo~~ • jemand • niemand • immer • überall

1 ● Wusstest du, dass es in Russland so viele Wunderkinder wie   nirgendwo   sonst auf der
     Welt gibt?
   ■ Nein, das wusste ich nicht.
2 ♦ Warst du schon auf einer House-Party?
   ▲ Nein, und ich möchte auch _____ auf eine gehen. House interessiert mich nicht.
3 ● Hast du schon mal _____ von der Band „Ich + Ich" gehört?
   ♦ Nein, von der habe ich noch _____ gehört. Ist sie berühmt?
   ● Ja klar, die Band ist sehr bekannt und hat schon fast _____ auf der Welt Konzerte
     gegeben.
4 ♦ Hat _____ für mich angerufen?
   ▲ Nein, _____ .
5 ● Was machst du normalerweise an deinem Geburtstag?
   ■ Da gehe ich _____ mit meinen Freunden in eine Musikkneipe. Jedes Jahr in den
     Jazzkeller.

zu Wortschatz, S. 65, Ü1

6 Musik 💻 ÜBUNG 5, 6, 7   WORTSCHATZ

a **Was passt nicht? Streichen Sie durch.**

1 Trompete – Flöte – ~~Gitarre~~
2 Musiker – Metzger – Sänger
3 Chor – Orchester – Kino
4 Plakat – Künstler – Pianist

5 komponieren – dirigieren – korrigieren
6 laufen – singen – tanzen
7 einzigartig – unbegabt – außergewöhnlich
8 beliebt – regelmäßig – oft

b **Ordnen Sie die Wörter zu.**

~~Künstler~~ • Klavier • Pianist • Band • Geige • Kino • Orchester • Trompete •
Theater • Musiker • Sänger • Chor • Oper • Schlagzeug • Flöte • Dirigent

Instrumente	Personen	Gruppen	Veranstaltungsorte
	Künstler, …		

zu Hören 2, S. 66, Ü1

7 Pina   FILMTIPP/LESEN

a **Lesen Sie die Informationen zum Film. Worum geht es in den Abschnitten? Ordnen Sie zu.**

Pina
Deutschland, Frankreich
2011
100 Min.,
FSK o. A.
Regisseur: Wim Wenders
3D-Film

1 Inhalt des Films ☐
2 Die Person Pina Bausch ☐
3 Hintergrundinfo zum Film ☒
4 Was für ein Film ist das? ☐

A Philippina (Pina) Bausch, nach der der Film benannt ist, war schon als Kind vom Tanzen fasziniert. Sie studierte in den USA, und zurück in Deutschland bekam sie in den 70er-Jahren die Leitung der „Compagnie" in Wuppertal. Dort entwickelte sie das Tanztheater, eine Mischung aus Gesang, Tanz, Pantomime, Artistik und Sprache, und wurde so zu einer der bedeutendsten Choreografinnen und Tänzerinnen der internationalen Tanzszene.

B Eigentlich wollte Wim Wenders Pina Bausch und ihr Ensemble auf einer Welttournee begleiten und dabei filmen. Aber kurz vor Beginn der Dreharbeiten starb Pina überraschend. Deshalb wurde aus dem „Film *über* Pina" ein „Film *für* Pina".

C Im Mittelpunkt des Films stehen drei Tanzstücke von Pina Bausch, die auf der Bühne des Wuppertaler Opernhauses aufgeführt werden. Mit dem vierten Stück geht Wenders jedoch mit der Kamera ins Freie und filmt mit den Tänzern in der Natur, in einem Hallenbad, an öffentlichen Plätzen und in Industrielandschaften. Zwischen den Tänzen erzählen die Tänzer über ihre persönlichen Erinnerungen an ihre Regisseurin.

D „Pina" ist nicht nur ein Tanzfilm in 3D, er ist auch ein Zeichen der Hochachtung vor einer einzigartigen Künstlerin.

b **Lesen Sie noch einmal. Welche Aussagen sind richtig (R), welche falsch (F)? Markieren Sie.**

	R	F
1 Pina Bausch war in den 70er-Jahren eine berühmte Choreografin.	☐	☐
2 Wim Wenders hat einen Film gemeinsam mit Pina Bausch gedreht.	☐	☐
3 In dem Film sieht man nur Tanzszenen auf der Bühne.	☐	☐
4 Der Film ist ein Tanzfilm. Man erfährt aber auch viel über die Person Pina Bausch.	☐	☐

LEKTION 6

zu Hören 2, S. 66, Ü1

8 Programmänderung 💻 ÜBUNG 8   HÖREN

CD 1 🔵35 **a** Ergänzen Sie die Ansage in der richtigen Form. Hören Sie dann und vergleichen Sie.

~~Klavierkonzert~~ • Stück • Karte • Gutschein • Veranstaltung • Tageskasse • Pianist

Das klassische ___Klavierkonzert___ (1) am kommenden Samstag, den 5. November, mit _____ (2) von Ludwig van Beethoven, Clara Schumann und Wolfgang Amadeus Mozart findet nicht statt, weil der _____ (3) erkrankt ist. Es wird auf den 26. November verschoben. Die _____ (4) sind weiter gültig. Wer sie zurückgeben will, kann dies an der _____ (5) bis Freitag tun oder per Post schicken und erhält das Geld oder einen _____ (6) für eine andere _____ (7).

b Fassen Sie nun den Inhalt des Hörtextes zusammen. Verbinden Sie die Sätze.

1 Das Konzert   bleiben aber noch gültig.
2 Es wird auf den 26. 11.   die Karten zurückgeben.
3 Die Eintrittskarten   findet nicht statt.
4 Man kann   einen Gutschein für eine andere Veranstaltung.
5 Und man erhält dann   verschoben.

zu Hören 2, S. 66, Ü1

9 Festivals in deutschsprachigen Ländern 💻 ÜBUNG 9   LANDESKUNDE/LESEN

Lesen Sie die Texte. Ergänzen Sie dann die Informationen in der Tabelle.

Wo findet das Festival statt?	Seit wann findet es statt?	Wann findet es statt?	Was gibt es dort?
Salzburg			Opern, Konzerte, …

Die Musik- und Kulturszene in den deutschsprachigen Ländern ist sehr vielfältig. Das ganze Jahr über finden zahlreiche große und kleinere regionale Festivals statt. Wir stellen Ihnen einige berühmte Festivals vor:

Die Salzburger Festspiele

5   Für Musikfreunde ist Salzburg ein Para-
dies. Vor allem in der Festspielsaison
machen die Musikliebhaber die Stadt
lebendig. Pro Jahr kommen durchschnittlich etwa 5,5 Millionen Gäste nach Salz-
10   burg. Diese Kulturveranstaltung findet
seit 1920 jedes Jahr im Sommer (von Juli
bis August) statt. Die Veranstaltungsorte
sind das Salzburger Festspielhaus und das
Mozarthaus, wo Opern und Konzerte
15   stattfinden. Es gibt aber nicht nur Musikaufführungen, sondern überall in der Stadt gibt es auch
Kunstausstellungen und Theatervorstellungen. Sehr bekannt ist auch das Theaterstück „Jeder-
mann", das traditionell jedes Jahr aufgeführt wird.

„Rock im Park" in Nürnberg

Jedes Jahr im Sommer findet in Nürnberg
20 „Rock im Park" statt, ein Rockfestival, zu
dem jährlich über 85 Bands und über 40 000
Besucher kommen. „Rock im Park" ist eines
der größten Rock-Events in Deutschland.
Es gibt keine bestimmte musikalische Stil-
25 richtung. Jede Musik ist erlaubt. Das Festival
dauert drei Tage. 1976 trafen sich auf dem
Nürnberger Zeppelinfeld Zehntausende
Musikfans zum ersten Open-Air-Festival
mit „Santana" und „Chicago". Zwei Jahre
30 später, 1978, trat Eric Clapton in einer Show
mit Bob Dylan vor 80 000 Besuchern auf.

Zürcher Festspiele

In der Stadt Zürich gibt es mehrere Wochen
lang im Sommer rund um den See zahlreiche
35 kulturelle Veranstaltungen, die zum Teil
auch gratis sind. Eine einzigartige Kombination von Oper, Konzert, Tanz, Theater und
Kunst lockt jeden Sommer einige Wochen
lang viele Besucher an. Die Festspiele haben
40 2011 ihr 15-jähriges Jubiläum gefeiert.
Jedes Jahr erhält ein zeitgenössischer Künstler einen Preis.

zu Schreiben, S. 67, Ü2

10 Eine Einladung 🖳 ÜBUNG 10, 11   KOMMUNIKATION

Lesen Sie noch einmal im Kursbuch auf S. 67 und ordnen Sie die Redemittel folgenden Punkten zu.

> Was hältst Du davon, wenn wir auf ein Konzert von … gehen? Er/Sie spielt … • Hättest Du Lust,
> auf ein Konzert von … zu gehen? Das ist eine Musikerin / ein Musiker, die/den ich … finde. •
> ~~Herzlichen Dank für …~~ • Am besten nimmst Du … • Ich mag die Band, weil … • Du könntest
> mit … fahren. • Ich finde die Band … • Am besten wäre es, wenn Du … nehmen würdest • Der
> Termin passt mir gut. • Es war toll bei Euch. Danke Dir! • Ja, im/am … kann ich. • Ich schlage
> vor, Du nimmst … • Der Termin am … ist gut. • Tausend Dank für …

1 Danken Sie Sandra für ihre Gastfreundschaft.	2 Bestätigen Sie den Termin für Sandras Gegenbesuch.	3 Beschreiben Sie: Welches Konzert würden Sie empfehlen und warum?	4 Machen Sie Sandra einen Vorschlag, wie sie anreisen kann.
Herzlichen Dank für …			

zu Schreiben, S. 67, Ü2

11 Persönlicher Brief

SCHREIBEN

Ergänzen Sie die E-Mail.

> Am besten fliegst Du • Hier in Mannheim spielt • Anfang November passt mir
> gut, • Liebe • noch einmal herzlichen Dank • ~~Ich finde es prima,~~ • Ich habe
> schon eine Idee, • Da kann ich Dich • Ich freue mich schon • Herzliche Grüße

_____ (1) Sandra,

_____ (2) für Deine Gastfreundschaft. Es hat mir
wirklich sehr bei Dir gefallen. Wien ist wunderschön. *Ich finde es prima,* (3) dass
Du auch zu mir kommen kannst. _____ (4) denn da
kann ich ohne Probleme Urlaub nehmen. _____ (5)
wohin wir gehen können. _____ (6) Xavier Naidoo.
Das ist ein bekannter deutscher Musiker, der aus Mannheim kommt. Das Konzert wird
sicher toll, weil er seit langer Zeit endlich mal wieder in seiner Heimatstadt
spielt. Seine Lieder sind meistens ruhig und die Texte finde ich einfach schön.
_____ (7) nach Frankfurt
und nimmst dann den Zug nach Mannheim.
_____ (8) am Bahnhof
abholen. Aber das können wir noch besprechen. Bis November
ist ja noch ein bisschen Zeit.

_____ (9) auf Deine
Antwort. Und denk daran: Es lohnt sich wirklich!

_____ (10)

Deine Klara

P. S.: Hier noch ein Foto von Dir in Wien ☺

zu Lesen, S. 68, Ü1

12 Adjektive 🖥 ÜBUNG 12

WORTSCHATZ

Schreiben Sie die Adjektive richtig.

1 Bei dem Lied werde ich immer ganz melancholisch und *traurig* (ARIUTRG).
2 Ich mag Salsa-Musik. Da habe ich immer gleich gute Laune und könnte _____
   (LFRHICÖH) die ganze Nacht durchtanzen.
3 Puh! Die Oper ist mir zu anstrengend und schwer. Ich mag _____ (IEHLCTE)
   Unterhaltung und gehe lieber in Musicals.
4 Er ist Jazzmusiker, spielt aber auch manchmal Melodien mit _____ (GIROCKNE)
   und _____ (SSSCHKLAINE) Elementen.
5 Die Melodie gefällt mir, aber im Text gibt es ganz schön viele Stellen zum Thema Gewalt.
   Das ist mir viel zu _____ (RAGGSSVIE) und radikal.

zu *Wussten Sie schon?*, S. 69

13 Kunst in der DDR 🖳 ÜBUNG 13, 14   LANDESKUNDE

Welches Adjektiv passt? Markieren Sie.

In der ehemaligen DDR war es für Liedermacher, Musiker, Maler und Schriftsteller schwierig, ~~öffentlich~~/offenbar Kritik am Staat zu üben. *Künstlerische/Künstliche* Aktivitäten wurden vom Staat kontrolliert und zensiert. So war die offizielle Kunstszene nicht sehr vielseitig und vor allem politisch harmlos. Veranstaltungen wurden zum Teil sogar *verboten/erlaubt* und einige Künstler
5 mussten das Land verlassen, wenn sie zu *politisch/praktisch* waren. Vor allem in den siebziger Jahren gab es einige Liedermacher, die politische Lieder schrieben und sich dabei an den sozialistischen Arbeiterliedern orientierten. Ein *berühmter/gefährlicher* Liedermacher war Wolf Biermann. Als Siebzehnjähriger siedelte er 1953 in die DDR über und wurde später wieder aus der DDR ausgewiesen, weil er zu *kritisch/kreativ* war. Im Westen setzte Biermann dann seine Karriere fort.

―――――――――――――――――――――――――――――――――― WIEDERHOLUNG GRAMMATIK

zu Lesen, S. 69, Ü3

14 *Weil ...*

Schreiben Sie *weil*-Sätze.

Und was machst du heute Abend?

1 Ich gehe ins Kino, *weil mich der neue Film von Wim Wenders interessiert.*
   (neue Film – von Wim Wenders – mich interessieren)

2 Ich gehe ins Konzert, _____
   (zum Geburtstag – Karten von Klaus – bekommen haben)

3 Ich gehe ins Fitnessstudio, _____
   (jeden Freitag – Zumba-Kurs stattfinden – dort)

4 Ich gehe früh ins Bett, _____
   (müde sein – morgen früh – aufstehen müssen – und)

5 Ich treffe Susanne, _____
   (endlich – mit ihr – mal wieder etwas Lustiges – unternehmen möchten)

zu Lesen, S. 69, Ü3c

15 Etwas begründen: *denn, weil, nämlich, deshalb, ...*   GRAMMATIK ENTDECKEN

Markieren Sie die Verben. Ordnen Sie dann die Sätze in die Tabelle ein.

Carla <u>singt</u> morgens immer unter der Dusche. Sie <u>ist</u> gut gelaunt.

1 Carla singt morgens immer unter der Dusche, *denn* sie ist gut gelaunt.
2 Carla singt morgens immer unter der Dusche, *weil/da* sie gut gelaunt ist.
3 Carla singt morgens immer unter der Dusche. Sie ist *nämlich* gut gelaunt.
4 Carla ist gut gelaunt. *Daher/Darum/Deshalb* singt sie morgens immer unter der Dusche.

Hauptsatz + Nebensatz	Hauptsatz + Hauptsatz
	1 Carla singt morgens immer unter der Dusche, denn sie ist gut gelaunt.

zu Lesen 1, S. 69, Ü3c

16 Meine Lieblingsband

GRAMMATIK

Ergänzen Sie die Sätze mit *denn, weil/da, daher/darum/deshalb*.

1 Meine Lieblingsband hat im Sommer einen Live-Auftritt in meiner Stadt, _deshalb_ habe ich sofort Tickets für das Konzert gekauft.
2 Ich mag ihre Lieder, _____ die Texte sind sehr außergewöhnlich.
3 Die Band ist in der deutschen Musikszene sehr erfolgreich. _____ gibt es sogar einen deutschen Fanklub.
4 Mein Lieblingsmusiker ist der Gitarrist und Sänger, _____ er eine großartige Stimme hat.
5 Meine Lieblingsband hat auch internationalen Erfolg, _____ ihre Lieder sind sogar in den amerikanischen Charts.
6 Ich freue mich schon total auf das Konzert, _____ die Show immer perfekt ist.
7 Bis dahin kaufe ich mir aber das neue Album, _____ ich kann nicht so lange warten.

zu Lesen 1, S. 69, Ü3c

17 Wichtige SMS 🖥 ÜBUNG 15, 16

GRAMMATIK

Lesen Sie die SMS. Schreiben Sie Sätze mit *denn, weil/da, nämlich, daher/darum/deshalb*.

1 Ich komme später. Bus verpasst. ☹ Hol schon mal die Tickets! Bis dann.

Ich komme später, denn ich habe den Bus verpasst.
Ich komme später, weil ich den Bus verpasst habe.
Ich komme später. Ich habe nämlich den Bus verpasst.
Ich habe den Bus verpasst. Daher/Darum/Deshalb komme ich später.

2 Das Konzert war super! Sie haben eine tolle Show gemacht!

3 Geld von Papa bekommen! Will mir das neue Album von Juli kaufen.

4 Ich gehe schon um sechs in den Klub. Heute Eintritt bis 20 Uhr gratis! ☺ Kommst du auch?

5 Ich kann am 13. nicht. Muss die Tickets umtauschen ☹.

zu Lesen, S. 70, Ü5

18 *Wegen – weil* 🖥 ÜBUNG 17

GRAMMATIK

a Lesen Sie die Schilder und schreiben Sie *weil*-Sätze.

1 Wegen Verletzungsgefahr bitte die Baustelle nicht betreten.

3 Wegen der Hochzeit unserer Tochter bleibt unser Geschäft am 17. und 18. August geschlossen. Ihre Metzgerei Schmackes

2 Wegen Krankheit des Sängers wird das Konzert auf den 3. Juni verschoben.

4 Wegen Betriebsausflug ist die Firma heute geschlossen. Danke für Ihr Verständnis. Ruth Maria Siebenking

5 Wegen einer Sport-veranstaltung ist das Schwimmbad erst wieder am 9.12. geöffnet.

LEKTION 6

1 Man darf die Baustelle nicht betreten, weil *man sich verletzen kann.*
2 Das Konzert findet nicht statt, weil _____
3 Familie Schmackes öffnet am 17. und 18. August die Metzgerei nicht, weil die _____
4 Die Firma ist geschlossen, weil die Mitarbeiter heute _____
5 Das Schwimmbad ist erst am 9.12. wieder geöffnet, weil vorher _____

36 b **Hören Sie und vergleichen Sie.**

zu Sehen und Hören, S. 72, Ü5

19 *Trotz – obwohl – trotzdem*   GRAMMATIK ENTDECKEN

Formen Sie die Sätze mit *obwohl* und *trotzdem* um. Markieren Sie dann die Verben.

1 Trotz des schlechten Wetters war das Open-Air-Konzert super.
2 Trotz der schlechten Plätze war ich von dem Musical begeistert.
3 Trotz der tollen Stimmung hat mir das Konzert nicht gefallen.
4 Trotz des langweiligen Videoclips mag ich das neue Lied von Grönemeyer total gern.
5 Trotz Krankheit trat der Künstler auf.

1 Obwohl das Wetter schlecht war, war das Open-Air-Konzert super.
Das Wetter war schlecht. Trotzdem war das Open-Air-Konzert super.

zu Sehen und Hören, S. 72, Ü5

20 Konzessive Konnektoren 📖 ÜBUNG 18, 19, 20   GRAMMATIK

Schreiben Sie die Sätze mit *aber, obwohl, trotzdem*.

1 Ich hatte hohes Fieber. Ich bin ins Konzert gegangen. (trotzdem)
2 Das Konzert hat eine gute Kritik bekommen. Es war langweilig. (obwohl)
3 Ich höre eigentlich nie Jazz. Heute habe ich eine Ausnahme gemacht. (aber)
4 Er ist ein guter Sänger. Er ist nur in Deutschland bekannt. (Trotzdem)
5 Ich habe die CD schon hundertmal gehört. Ich mag nur die Melodien, aber nicht die Texte. (obwohl)
6 Er ist ein Star. Er gibt nie Interviews. (aber)
7 Er hat sich eine Karaoke Anlage gekauft. Er singt gar nicht gern. (obwohl)
8 Ich mag keine Volksmusik. Ich gehe mit meiner Freundin in ein Konzert von Hansi Wallner. (trotzdem)

1 Ich hatte hohes Fieber. Trotzdem bin ich ins Konzert gegangen.

zu Sehen und Hören, S. 72, Ü5

21 *Obwohl* oder *weil*? 📖 ÜBUNG 21   GRAMMATIK

Schreiben Sie Sätze mit *obwohl* oder *weil*.

1 *Weil die Stimmung schlecht war* _____ , bin ich nach einer Stunde gegangen.
(Stimmung – war – schlecht)

2 Ich bin im Fanklub von Xavier Naidoo, _____ .
(seine Musik – ich – nicht mag)

3 _____ , will er Musik studieren.
(nicht – er – kann – singen)

4 Paul besucht mich im Sommer, _____ .
(wir gemeinsam – zu „Rock im Park" – möchten – gehen)

93

LEKTION 6

zu Sehen und Hören, S. 72, Ü5

22 *Trotzdem* oder *deshalb*? 🖥 ÜBUNG 22   GRAMMATIK

a   **Markieren Sie.**

1 Das Wetter ist schlecht. (Trotzdem)/Deshalb gehe ich auf ein Open-Air-Konzert.
2 Das Musical hat gute Kritiken bekommen. Wir haben *trotzdem/deshalb* keine Karten gekauft.
3 Ich mag die Musik von „Ich + Ich". *Trotzdem/Deshalb* kaufe ich mir die neue CD.
4 Ich möchte ein Instrument lernen. *Trotzdem/Deshalb* suche ich einen Lehrer.

b   **Markieren Sie nun die Verben. Formen Sie die *trotzdem*- und *deshalb*-Sätze um.**

1 Ich gehe trotzdem auf ein Open-Air-Konzert.

zu Sehen und Hören, S. 72, Ü5

23 *Trotz* oder *wegen*? 🖥 ÜBUNG 23   GRAMMATIK

Markieren Sie.

1 *Trotz/Wegen starker Erkältung ging Robbie Williams auf die Bühne. Das Konzert war ein voller Erfolg.*

2 *Das Konzert wurde trotz/wegen eines Gewitters abgesagt.*

3 *Das Open-Air-Konzert findet trotz/wegen schlechten Wetters statt.*

4 *Trotz/Wegen eines Streiks am Londoner Flughafen saß 50 Cent stundenlang am Flughafen fest.*

5 *Trotz/Wegen der vielen Besucher waren die Parkplätze rund um das Konzertgelände nach kurzer Zeit geschlossen.*

6 *Trotz/Wegen der großen Nachfrage gibt es noch zwei weitere Konzerte.*

zu Sehen und Hören, S. 72, Ü5

24 Gründe und Gegengründe 🖥 ÜBUNG 24, 25, 26, 27   GRAMMATIK

Ergänzen Sie die passenden Konnektoren.

1 Der Live-Auftritt war einfach toll. Vor allem, __weil__ die Show außergewöhnlich war.
2 Das Konzert war super. _____ kaufe ich mir morgen die CD.
3 Ich habe gleich beim ersten Lied getanzt, _____ der Rhythmus hat mir gefallen.
4 Alle haben den Refrain mitgesungen, _____ die Melodie so schwierig war.
5 Ich bin in der Oper eingeschlafen, _____ sie so langweilig war.
6 Der Opernsänger hat meistens schlechte Laune. _____ kann er manchmal ganz nett sein.
7 Ich wollte mal wieder deine Stimme hören. _____ habe ich dich angerufen.
8 Sie kann nicht so gut singen, _____ sie singt gern.
9 Ich hatte hohes Fieber. _____ bin ich zu der Veranstaltung gegangen.
10 Sie schaut sich jede Woche die Fernsehsendung um 18:40 Uhr an, _____ sie diese Serie mag.
11 _____ er berühmt ist, lebt er in einer kleinen Wohnung.
12 Ich kann keine Eintrittskarten kaufen, _____ ich kein Geld habe.
13 Mir gefällt das Lied sehr, _____ ich den Text nicht verstehe.

LEKTION 6

zu Sehen und Hören, S.72, Ü5

25 Geschichten erzählen

SPIEL

Eine Lernpartnerin / Ein Lernpartner beginnt einen Satz, der mit einem Konnektor *(weil, denn, …)* endet. Die/Der Nächste muss den Satz beenden und einen neuen Satz hinzufügen, der auch mit einem Konnektor endet. Sie können alle Konnektoren benutzen.

> *Carla wollte ins Konzert gehen. Am Eingang wurde sie plötzlich ganz nervös, weil …*

> *Weil sie ihr Ticket vergessen hatte. Das Konzert war ausverkauft, deshalb …*

> *Deshalb musste sie sich etwas ausdenken. Aber …*

zu *Wussten Sie schon?*, S.72

26 Zweite Neue Deutsche Welle

LANDESKUNDE/LESEN

Lesen Sie die Kurzporträts zu den Bands und ordnen Sie die Wörter zu.

Gibt es die „zweite Neue Deutsche Welle"?
Die „erste Neue Deutsche Welle" gab es in den 80er-Jahren. Aber seit circa 2005 entwickelte sich in der deutschen Musikszene ein neuer Trend. Seitdem werden immer mehr deutsche Gruppen gegründet, die erfolgreich auf Deutsch singen. Auch in Österreich und in der Schweiz sind deutschsprachige Texte in den letzten
5 Jahren viel beliebter geworden.

Juli
Musikstil: Alternativ Pop
Hits/Alben: *Es ist Juli, Die perfekte Welle, Ein neuer Tag*

10 Die Sonne und der Sommer waren den
    Bandmitgliedern (1) anscheinend schon
immer wichtig. Denn zuerst hieß die Band
Sunnyglade. Am Anfang haben sie noch auf
Englisch gesungen, denn deutsche _____ (2) fanden sie nicht „so cool".
15 Schon als *Sunnyglade* waren sie auf zahlreichen _____ (3) zu hören. Mit
ihrem neuen Namen *Juli* hatten sie im Juni 2002 den ersten _____ (4).
Juli überzeugte sofort das _____ (5). Ihren größten Erfolg hatte die
Gruppe mit dem _____ (6) „Die perfekte Welle", mit dem sie 2004 ein
halbes Jahr lang in den Charts war.

Festivals •
~~Bandmitgliedern~~ •
Texte •
Publikum •
Hit •
Auftritt

20 ### 2raumwohnung
Musikstil: Elektropop
Hits/Alben: *Kommt zusammen, In wirklich, Melancholisch schön, 36 Grad*

Das Berliner Popduo machte schon lange
25 _____ (1), aber meistens standen
die beiden Musiker hinter der _____ (2)
als Komponisten und Produzenten.
Im Jahr 2000 bat ein Zigarettenhersteller die beiden um ein 20 Sekunden langes
_____ (3) für einen Werbespot. Das _____ (4) liebte das
30 Lied so sehr, dass die beiden Musiker „Wir trafen uns in einem Garten" auf 3 Minuten
verlängerten. Das war der Durchbruch für *2raumwohnung.* 2007 wurde „36 Grad" der
Sommerhit in den deutschen Charts.

Bühne •
Lied •
Publikum •
Musik

Christina Stürmer

Musikstil: Rock/Pop/Indie
Hits/Alben: *Freier Fall, Soll das wirklich alles sein, Laut-Los, Schwarz-Weiss*

35

40

Christina Stürmer wurde 1982 in einem kleinen Ort bei Linz in Österreich geboren. Erste musikalische ~~Erfahrungen~~ (1) sammelte sie im Alter von neun Jahren mit der Querflöte. Mit 16 gründete Stürmer ihre erste Band *Scotty*, in der sie Sängerin war. Ihr _____ (2) wurde bei der Casting Show „Starmania" entdeckt und sie eroberte sofort die Herzen der _____ (3). 2005 gelang ihr auch der Durchbruch in Deutschland. Mit dem Album *Schwarz-Weiss* orientierte

45

sie sich an dem gerade aufkommenden _____ (4) zu deutscher Rock- und Popmusik. Als Christina Stürmer und ihre Band mit dem Album *Schwarz-Weiss* durch Deutschland und die Schweiz tourten, mussten einige der knapp 40 _____ (5) wegen der großen Nachfrage sogar in größere Hallen verlegt werden.

Konzerte •
Trend •
~~Erfahrungen~~ •
Zuschauer •
Talent

zu Sprechen, S. 73, Ü3

27 Musik aus meiner Heimat

SCHREIBEN

Schreiben Sie ein Kurzporträt zu einer bekannten Band aus Ihrem Heimatland. Verwenden Sie die Redemittel aus dem Kursbuch auf S. 73.

> Ich komme aus Indonesien.
> Dort gibt es viele gute Bands.
> Eine davon ist ...
> Sie macht hauptsächlich ...

28 Mein Lieblingslied

MEIN DOSSIER

a Schreiben Sie Ihr Lieblingslied auf.

b Denken Sie an bestimmte Erlebnisse oder Dinge, wenn Sie es hören? Schreiben Sie.

Mein Lieblingslied

Die Gedanken sind frei, wer kann sie erraten? Sie fliegen vorbei wie nächtliche Schatten.

> Ich mag das Lied, weil/denn ...
> Ich habe es ausgewählt, weil ...
> Mir gefällt besonders ...
> Wenn ich das Lied höre, ...
> Ich denke an ...

— AUSSPRACHE: Satzakzent und Satzmelodie —

1 Satzakzent 🖳 ÜBUNG 28

🎧 37 a **Hören Sie und achten Sie auf die Betonung. Welches Wort ist am stärksten betont? Markieren Sie.**

1 Ich höre.
Ich höre Musik.
Ich höre gern Musik.
Ich höre gern laute Musik.

2 Ich singe.
Ich singe ein Lied.
Ich singe ein wunderschönes Lied.
Ich singe ein wunderschönes Lied
nur für dich.

3 Ich tanze.
Ich tanze Hip-Hop.
Ich tanze jede Woche Hip-Hop.
Ich tanze jede Woche schnellen
Hip-Hop.

4 Ein Gespräch
● Was machst du in deiner Freizeit?
■ Ich höre gern Musik.
● Hörst du gern Rap?
■ Oh ja, ich liebe Rap.

● Magst du auch Rockmusik?
■ Nein, Rock mag ich gar nicht.
● Singst du auch gern?
■ Oh ja, ich singe gern und gut!

🎧 38 b **Hören Sie noch einmal und sprechen Sie nach.**

2 Satzmelodie

🎧 39 a **Hören Sie und markieren Sie die Satzmelodie: → oder ↘.**

1 Obwohl der Sänger krank war →, hat das Konzert stattgefunden ↘.
Das Konzert hat stattgefunden ↘/→, obwohl der Sänger krank war ↘.

2 Weil es schon so spät war ▨, bin ich gleich nach dem Konzert nach Hause gegangen ▨.
Ich bin gleich nach dem Konzert nach Hause gegangen ▨, weil es schon so spät war ▨.

3 Obwohl ich sehr müde war ▨, konnte ich nicht sofort einschlafen ▨.
Ich konnte nicht sofort einschlafen ▨, obwohl ich sehr müde war ▨.

🎧 40 b **Sprechen Sie die Sätze. Achten Sie dabei auf die Satzmelodie.**
Hören Sie dann die Sätze und vergleichen Sie die Satzmelodie. Korrigieren Sie Ihre Aussprache.

1 Ich habe im Konzert ganz vorne gestanden, weil ich ihre Stimme hören wollte.
Weil ich ihre Stimme hören wollte, habe ich im Konzert ganz vorne gestanden.
Weil ich ihre wunderschöne Stimme hören wollte, habe ich im Konzert ganz vorne gestanden.

2 Das Festival hat mir gut gefallen, obwohl ich so gefroren habe.
Obwohl ich so gefroren habe, hat mir das Festival gut gefallen.
Obwohl ich wegen des starken Windes so gefroren habe, hat mir das Festival gut gefallen.

3 Ich habe keine CD gekauft, obwohl ich genug Geld dabeihatte.
Obwohl ich genug Geld dabeihatte, habe ich keine CD gekauft.
Obwohl ich eigentlich genug Geld dabeihatte, habe ich keine CD gekauft.

LEKTION 6 LERNWORTSCHATZ

SEITE 63 EINSTIEG

die Gelegenheit, -en _____   ähnlich _____

SEITE 64 HÖREN 1

die Geige, -n _____   das Wunderkind, -er _____

das Jahrhundert, -e _____   klug _____

das Klavier, -e _____   österreichisch _____

Österreich (Sg.) _____   talentiert _____

der Pianist, -en _____

die Pianistin, -nen _____   niemals _____

der Star, -s _____   niemand _____

das Talent, -e _____   nirgends _____

SEITE 65 WORTSCHATZ

der Chor, ⸚e _____   die Trompete, -n _____

die Flöte, -n _____   die Veranstaltung, -en _____

die Gitarre, -n _____

das Instrument, -e _____   planen _____

das Schlagzeug, -e _____   am liebsten _____

SEITE 66 HÖREN 2

die Eintrittskarte, -n _____   der Walzer, - _____

das Paar, -e _____

der Tanz, ⸚e _____   umtauschen _____

die Vergangenheit (Sg.) _____   aktuell _____

SEITE 67 SCHREIBEN

die Anrede, -n _____   bestätigen _____

die Einleitung, -en _____   (sich) lohnen _____

die Gastfreundschaft (Sg.) _____   furchtbar _____

SEITE 68–70 LESEN

der Beitrag, ⸚e _____   der Sänger, - _____

das Bundesland, ⸚er _____   die Sängerin, -nen _____

der Einfluss, ⸚e _____   der Schaden, ⸚ _____

die Erziehung (Sg.) _____   das Verbot, -e _____

der Geschmack, ⸚e _____   die Zeile, -n _____

die Gewalt (Sg.) _____

die (Konzert)halle, -n _____   beeinflussen _____

die Institution, -en _____   begründen _____

das Mitglied, -er _____   darstellen _____

entwickeln _____

LEKTION 6 LERNWORTSCHATZ

unterstützen _____   sanft _____

angeblich _____   anders _____

fröhlich _____   daher _____

geschmacklos _____   damals _____

klassisch _____   höchstens _____

nah _____   recht _____

reif _____   sogar _____

rockig _____   sowieso _____

SEITE 71–72 SEHEN UND HÖREN

das Ereignis, -se _____   begeistert _____

der Rhythmus, die Rhythmen _____   obwohl _____

der Trend, -s _____   trotzdem _____

mischen _____

SEITE 73 SPRECHEN

das Studio, -s _____   aufmerksam _____

kopieren _____

WELCHE WÖRTER MÖCHTEN SIE NOCH LERNEN?

_____

_____

_____

_____

_____

_____

_____

_____

_____

_____

_____

_____

_____

_____

_____

_____

_____

6

LEKTIONSTEST 6

1 Wortschatz

Was ist richtig? Markieren Sie.

1 Ich kann am 17. 4. nicht. Vielleicht kannst du die Tickets *tauschen / umtauschen / ändern*.
2 Der Fanklub von meiner Lieblingsband hat schon 100 *Mitglieder / Teilnehmer / Kunden*.
3 Die Band hat schon wieder ein neues Album *geplant / veranstaltet / bestätigt*.
4 In seinen Liedern singt er oft über *aktuelle / aufmerksame / nahe* Ereignisse.
5 Ich mag keine Videoclips, in denen man Gewalt *darstellt / spielt / beeinflusst*.

Je 1 Punkt   Ich habe _____ von 5 möglichen Punkten erreicht.

2 Grammatik

a Ergänzen Sie *weil, denn, obwohl, aber, deshalb, trotzdem* und schreiben Sie Sätze.

1 Er will Musiker werden, _____ (nicht musikalisch sein)
2 Das Wetter ist so schön. _____ (ich aufs Open-Air gehen)
3 Paul besucht mich im Mai, _____
_____ (gemeinsam auf „Rock am Ring" gehen möchten)
4 Er ist ein berühmter Sänger. _____ (jeden Tag üben müssen)
5 Das Konzert war nicht schlecht, _____ (Show schrecklich sein)
6 Anna will Musik studieren, _____ (Dirigentin werden wollen)
7 Ich höre nie klassische Musik. _____ (gestern in ein Bach-Konzert gehen)

Je 2 Punkte   Ich habe _____ von 14 möglichen Punkten erreicht.

b Ordnen Sie zu.

> nicht · nichts · niemand(em) · nirgends · überall · etwas

1 ● Hast du die Tickets gesehen? Ich habe sie _____ gesucht, kann sie aber nicht finden.
  ■ Nein, die habe ich _____ gesehen.
2 ● Hast du mit jemandem darüber gesprochen?
  ■ Nein, mit _____ .
3 ● Hast du in der Zeitung _____ über das Konzert gelesen?
  ■ Nein, ich habe gar _____ darüber gehört oder gelesen.
4 ♦ Ich könnte _____ Musik studieren, weil ich total unmusikalisch bin.

Je 1 Punkt   Ich habe _____ von 6 möglichen Punkten erreicht.

3 Kommunikation

Ergänzen Sie *vorschlagen, passen, mögen, halten, aufmerksam machen* in der richtigen Form.

> Lieber Paul,
> vielen Dank für Deine Einladung. Der Termin im August _____ (1) mir gut.
> Ich hätte große Lust, auf das Konzert von „Ich + Ich" zu gehen. Ich _____ (2) die Band,
> weil die Shows immer super sind. Die haben doch mit dem Lied „Wir sind so doof" auf sich
> _____ (3). Oder? Was _____ (4) Du davon, wenn ich ein
> paar Tage vor dem Konzert zu Dir komme?
> Ich _____ (5), dass wir noch einmal telefonieren.
>
> Liebe Grüße, Katharina

Je 1 Punkt   Ich habe _____ von 5 möglichen Punkten erreicht.

Auswertung: Vergleichen Sie Ihre Lösungen mit S. 135.
Ihre Erfolgspunkte tragen Sie unter jeder Aufgabe ein.

☺	☺	☹
30–26	25–15	14–0

Ich habe _____ von 30 möglichen Punkten erreicht.

1 Quizfragen

Was ist richtig? Markieren Sie.

	A	B	C
1 Was muss man oft tun, wenn man ins Ausland reist?	☐ Geld leihen	☐ Geld wechseln	☐ Geld zahlen
2 Was bezahlt man für den Umtausch von Geld?	☐ ein Trinkgeld	☐ eine Gebühr	☐ eine Miete
3 Wo bekommt man in deutschsprachigen Ländern <u>kein</u> Bargeld?	☐ am Automaten	☐ bei der Bank	☐ bei einer Versicherung
4 Worin soll man <u>kein</u> Geld transportieren?	☐ im Koffer	☐ im Tresor	☐ im Geldbeutel
5 Womit kann man <u>nicht</u> online bezahlen?	☐ mit Bargeld	☐ mit einer Kreditkarte	☐ mit einer Überweisung

zu Sprechen 1, S. 76, Ü3

2 Wortfeld *Spielen*

a **Wie heißen die Spiele? Ordnen Sie zu.**

> das Ballspiel · das Computerspiel · ~~das Kartenspiel~~ · das Brettspiel

 A
 B
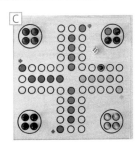 C
 D

das Kartenspiel

🔊 C·41 b **Welches Spiel wird gespielt? Hören Sie und bringen Sie die Fotos in die richtige Reihenfolge.**

Geräusch	1	2	3	4
Foto				

c **Was passt? Ordnen Sie die Begriffe aus a zu.**

1 _____ : der Bildschirm · die Graphik · das Level · der PC
2 _____ : der Würfel · die Figur · der Start · das Ziel
3 _____ : der Spieler · das Tor · die Mannschaft · das Spielfeld
4 _____ : ziehen · mischen · austeilen · zeigen

LEKTION 7

zu *Wussten Sie schon?*, S. 76

3 Spiel des Jahres 💻 ÜBUNG 1

WORTSCHATZ

Ergänzen Sie.

> kämpfen · Brettspiel · gehört · gewonnen · beliebtesten ·
> Spielkarten · Mitspieler · ~~Preis~~ · verlieren · gewinnen

Der Verein *Spiel des Jahres* vergibt einen ___Preis___ (1) für neue
deutschsprachige Brett- und Kartenspiele.
Zu den _____ (2) Spielen, die ihn bekommen
haben, _____ (3) das Spiel *Die Siedler von Catan.*
5 Vorgeschlagen war auch das _____ (4)
Die verbotene Insel aus den USA, das inzwischen auch auf
Deutsch erhältlich ist. Bei diesem Spiel ist Kooperation wichtig.
Alle _____ (5) können nur gemeinsam
_____ (6) oder verlieren.
10 Worum geht es in diesem Spiel? Irgendwo weit draußen im Meer liegt die verbotene Insel.
Dort gibt es vier wertvolle Schätze. Die Spieler sind Abenteurer, die versuchen, diese Schätze
zu finden, bevor die Insel im Meer untergeht. Falls sie es schaffen, haben sie das Spiel
_____ (7). Versinkt die Insel vorher im Wasser, _____ (8) sie das
Spiel. Welche Teile der Insel wann im Meer versinken, entscheiden die _____ (9).
15 Die Spieler können gegen den Untergang _____ (10), indem sie zusammenhalten.

WIEDERHOLUNG GRAMMATIK

zu Sprechen 1, S. 77, Ü5

4 *Werden* als Vollverb und *werden* + Infinitiv 💻 ÜBUNG 2

a **Ergänzen Sie.**

> ist ... geworden · werde ... spielen · werde ... ziehen ·
> ~~werden ... besser~~ · will ... werden · wurden · wollte ... werden

1 Die neuen Computerspiele _werden_ immer _besser_ .
2 Das war das letzte Mal. Ich _____ sicher nicht noch einmal mit dir _____ .
3 Helga _____ als junges Mädchen gern Pilotin _____ .
4 Erwin _____ auf keinen Fall dick _____ .
5 Ich _____ nächstes Jahr wahrscheinlich in die Schweiz _____ .
6 Peter _____ gestern Vater _____ . Das Baby heißt Marie.
7 Unsere Klasse hat das Fußballturnier verloren. Wir _____ letzter.

b **Welche Funktion hat *werden* in den Sätzen in a? Markieren Sie.**

Satz	1	2	3	4	5	6	7
werden als Vollverb	X						
werden + Infinitiv							

zu Sprechen 1, S. 77, Ü5

5 Passiv 💻 ÜBUNG 3, 4   GRAMMATIK ENTDECKEN

a **Was passt? Ordnen Sie die Sätze den Bildern zu.**

> Alina bezahlt die Schlossallee. • Der Westbahnhof wird verkauft. • Die Schlossallee wird bezahlt. •
> Eine Sechs wird gewürfelt. • Eine Karte wird gezogen. • Niklas würfelt eine Sechs. •
> ~~Thomas verkauft den Westbahnhof.~~ • Vanessa zieht eine Karte.

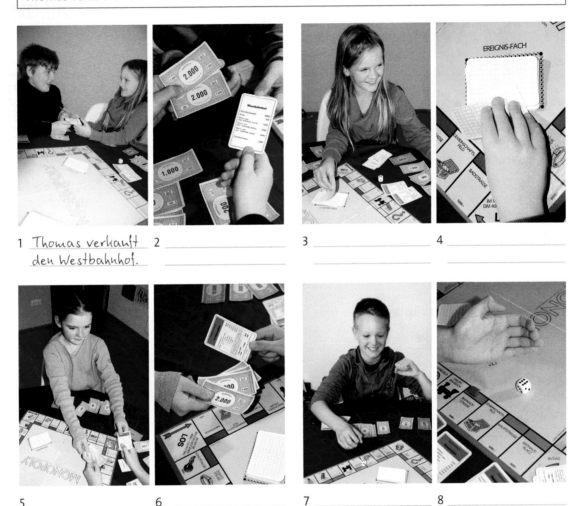

1 _Thomas verkauft_   2 _____   3 _____   4 _____
  den Westbahnhof.   _____

5 _____   6 _____   7 _____   8 _____

b **Schreiben Sie die Sätze aus a in die Tabelle.**

	Nominativ		Akkusativ	
1	Thomas	verkauft	den Westbahnhof.	
2	Der Westbahnhof	wird		verkauft.
3				
4				
5				
6				
7				
8				

LEKTION 7

zu Sprechen 1, S. 77, Ü5

6 Spielbeschreibung   ÜBUNG 5   GRAMMATIK

Ergänzen Sie das Partizip II der Verben.

1 Monopoly ist ein Brettspiel, das überall auf der Welt ___gespielt___ wird. (spielen)
2 Bevor wir mit dem Spiel beginnen, wird das Brett _____. (aufbauen)
3 Dann wird die Spielanleitung _____. (lesen)
4 Die Würfel, Karten und Spielfiguren werden auf den Tisch _____. (legen)
5 Der erste Spieler ist an der Reihe. Zuerst wird _____. (würfeln)
6 Danach wird die Spielfigur auf ein neues Feld _____. (stellen)
7 Nach und nach werden alle Straßen _____. (kaufen)
8 Kommt man auf ein Ereignisfeld, wird eine Karte _____. (nehmen)

zu Sprechen 1, S. 77, Ü5

7 Quizsendung *Wer wird Millionär?*   GRAMMATIK

Schreiben Sie Sätze im Passiv.

1 die Kandidaten – am Anfang – begrüßen
2 danach – der erste Spieler – vorstellen
3 die Fragen – langsam – vorlesen
4 die vier möglichen Antworten – auf dem Bildschirm – zeigen
5 dann – der Spieler – nach der Lösung fragen

> 1 Am Anfang werden die Kandidaten begrüßt.

zu Sprechen 1, S. 77, Ü5

8 Von der Idee zum Spiel   ÜBUNG 6, 7, 8   GRAMMATIK

Schreiben Sie im Passiv.

1 Ein Autor entwickelt die Idee für ein neues Spiel.
2 Ein Designer baut ein Spielbrett.
3 Ein Zeichner malt die Spielkarten.
4 Mitarbeiter des Verlags probieren das Spiel aus.
5 Mehrere Experten bewerten die Qualität des Spiels.
6 Vielleicht wählt eine Jury das Spiel zum „Spiel des Jahres".
7 Verkäufer empfehlen das Spiel.

> 1 Die Idee für ein neues Spiel wird von einem Autor entwickelt.

zu Sprechen 1, S. 77, Ü5

9 Geschenk   ÜBUNG 9   SCHREIBEN

Sie haben von Freunden ein Spiel geschenkt bekommen. In einer E-Mail an eine Freundin beschreiben Sie es kurz. Erklären Sie es. Verwenden Sie auch die Redemittel aus dem Kursbuch S. 77.

- Was für eine Art von Spiel ist es?
- Woraus besteht es? (z. B. Brett, …)
- Mit wie vielen Spielern wird es gespielt?
- Wie wird es gespielt?
- Was gefällt Ihnen daran (nicht)?

Betreff: Mein neues Lieblingsspiel

Liebe Sabine,

ich habe Dir doch erzählt, dass ich von Roland und Annette ein Spiel geschenkt bekommen habe …

zu Lesen 1, S. 78, Ü3

10 Einkaufsgewohnheiten 💻 ÜBUNG 10, 11   WORTSCHATZ

Ergänzen Sie.

1 | Einkaufsliste · Großeinkauf · Mengen ·
Packung · überlege · ~~überreden~~ · Waren |

Ich glaube, ich lasse mich nicht zum Kaufen ___überreden___ (1).
Ich bin berufstätig und habe nicht viel Zeit. Deshalb gehe ich nur
einmal pro Woche einkaufen. Da mache ich dann aber einen _____ (2).
Dafür brauche ich natürlich eine _____ (3).
Zu Hause _____ (4) ich in Ruhe, was ich für die Woche brauche.
Im Supermarkt kaufe ich bei manchen Sachen gleich größere _____ (5).
Dabei vergleiche ich, wie viel in einer _____ (6) ist oder wie viel die
_____ (7) einzeln kosten.

2 | beraten · beschäftige · bummeln ·
Produkte · Süßigkeiten · Tricks |

Ich glaube nicht, dass ich leicht auf die _____ (1) der
Verkäufer hereinfalle. Ich bin Single und liebe es, abends nach der
Arbeit _____ (2) zu gehen. Ich interessiere mich
für neue _____ (3). Am liebsten biologische. Meistens brauche ich
etwas mehr Zeit zum Einkaufen, weil ich mich oft mit der Beschreibung auf der Packung
_____ (4). Ich lasse mich auch gern _____ (5) und mir die
Produkte erklären. Was ich möglichst wenig kaufe, sind _____ (6).
Warum? Nun, die sind doch nicht gesund.

3 | Elektronikladen · Internet · Händlern · in bar |

Ich kaufe sehr gern Computerspiele im _____ (1).
Oft sehe ich bei eBay nach oder bei anderen _____ (2),
wo man Second-hand-Ware bekommt. Manchmal kaufe ich aber
auch in einem _____ (3), der eine
große Auswahl hat. Dort zahle ich meistens _____ (4).

zu Sprechen 2, S. 79, Ü2

11 Verkaufsgespräch 💻 ÜBUNG 12   HÖREN

CD 🔘42 **Hören Sie das Gespräch und bringen Sie die Sätze in die richtige Reihenfolge.**

- ☑ 1 Das ist ein toller Markt heute, nicht?
- ☐ Da haben Sie einen guten Kauf gemacht.
- ☐ Dann viel Spaß mit den Schuhen.
- ☐ Dürfte ich die Schuhe mal sehen?
- ☐ Ich finde ja, dass *Sprint* im Moment die beste Marke ist.
- ☐ Können Sie mir auf 100 Euro rausgeben?
- ☐ Sagen wir: 60 Euro. Wären Sie damit einverstanden?
- ☐ So viel Auswahl findet man selten.
- ☐ Was wollen Sie für die Schuhe denn haben?
- ☐ Was würden Sie denn bezahlen?

zu Sprechen 2, S. 79, Ü3

12 Passiv in der Vergangenheit 🖥 ÜBUNG 13   GRAMMATIK ENTDECKEN

a   Ergänzen Sie das Partizip II der Verben.

> benutzen · herstellen · ~~stehlen~~ · tragen

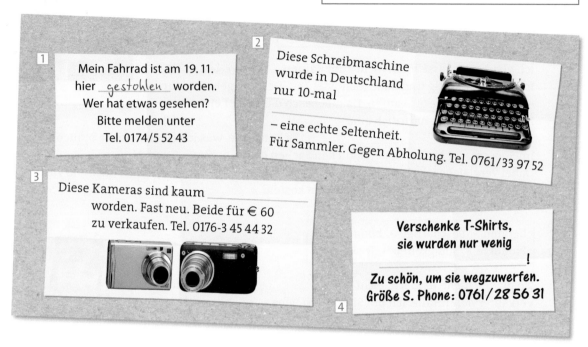

1   Mein Fahrrad ist am 19. 11. hier _gestohlen_ worden. Wer hat etwas gesehen? Bitte melden unter Tel. 0174/5 52 43

2   Diese Schreibmaschine wurde in Deutschland nur 10-mal _____ – eine echte Seltenheit. Für Sammler. Gegen Abholung. Tel. 0761/33 97 52

3   Diese Kameras sind kaum _____ worden. Fast neu. Beide für € 60 zu verkaufen. Tel. 0176-3 45 44 32

4   Verschenke T-Shirts, sie wurden nur wenig _____ ! Zu schön, um sie wegzuwerfen. Größe S. Phone: 0761/28 56 31

b   Ordnen Sie die Sätze aus a zu.

Präteritum	Perfekt
	Mein Fahrrad ist ... gestohlen worden.

c   Ergänzen Sie die Tabelle.

	Präsens	Präteritum	Perfekt
ich	werde getragen		
du			
er/es/sie			ist getragen worden
wir			
ihr			
sie/Sie		wurden getragen	

zu Sprechen 2, S. 79, Ü3

13 Passiv in der Vergangenheit 🖥 ÜBUNG 14, 15, 16, 17   GRAMMATIK

a   Schreiben Sie die Sätze im Passiv Präteritum.

1 im Internet – schöne Ohrringe – anbieten   _Im Internet wurden schöne Ohrringe angeboten._
2 der höchste Preis – bieten   _____ .
3 der schnellste Käufer – informieren   _____ .
4 die Ohrringe – verkaufen   _____ .
5 die Ware – bezahlen   _____ .
6 die Ohrringe – als Geschenk – verschicken   _____ .

b **Ein Geschenk für seine Freundin. Was erzählt Martin? Schreiben Sie im Passiv Perfekt.**

Stell dir vor,

1 *im Internet sind schöne Ohrringe angeboten worden.*
2 _____
3 _____
4 _____
5 _____
6 _____

... und rate mal, an wen?

zu Sprechen 2, S. 79, Ü4

14 Verkäufe im Internet 💻 ÜBUNG 18   KOMMUNIKATION

Ihre Freundin Sara hat alles, was sie nicht mehr braucht, im Internet zum Verkauf angeboten.
Was ist schon alles verkauft worden? Sprechen Sie mit Ihrer Lernpartnerin / Ihrem Lernpartner.

- ■ Ist das alte Schachspiel verkauft worden?
- ● Ja, das hat sie tatsächlich verkauft.

- ■ Wie viel ist dafür bezahlt worden?
- ● 3 Euro hat sie noch dafür bekommen.

		Ja	Ja, eine/r/s	Nein	EURO
1	das alte Schachspiel	X			3
2	der Fernseher			X	
3	die Magic-Karten	X			4
4	die Lego-Kästen		X		7
5	die Musik-CDs		X		6
6	die rosa Schreibtischlampe			X	
7	die alten Schulbücher		X		2,50

zu Lesen 2, S. 81, Ü5

15 Richtig einkaufen 💻 ÜBUNG 19, 20   GRAMMATIK

a **Was *soll, kann, muss, darf* man beim Einkaufen beachten?
Schreiben Sie.**

Folgende Regeln muss man beachten:

1 *Hunde darf man nicht ...*
2 _____
3 _____
4 _____
5 _____
6 _____

Folgende Regeln beachten:

1 Hunde nicht mitbringen
2 Ware nur mit Quittung umtauschen
3 Packungen nicht öffnen
4 Lebensmittel nicht probieren
5 an der Kasse geduldig warten
6 Einkauf nur bar bezahlen

b **Schreiben Sie die Regeln nun im Passiv mit Modalverb.**

Folgende Regeln müssen beachtet werden:

1 _____
2 _____
3 _____
4 _____
5 _____
6 _____

LEKTION 7

zu Wortschatz, S. 82, Ü1

16 Von Einkaufszentren und Marktständen 📖 ÜBUNG 21   WORTSCHATZ

CD1 C43 a   Wo kauft Herr Beck ein? Hören Sie und markieren Sie.

- ☐ am Kiosk: _____
- ☐ an Marktständen: _____
- ☐ beim Bäcker: _____
- ☐ beim Großhändler: _____
- ☐ beim Metzger: _____
- ☒ im Einkaufszentrum: _Lebensmittel, ..._
- ☐ im Fachgeschäft: _____
- ☐ im Kaufhaus: _____
- ☐ im Schreibwarengeschäft: _____
- ☐ im Supermarkt: _____
- ☐ in der Apotheke: _____
- ☐ in der Boutique: _____

CD1 C43 b   Was kauft er? Hören Sie noch einmal und notieren Sie.

zu Wortschatz, S. 82, Ü2

17 Geld 📖 ÜBUNG 22   WORTSCHATZ

a   Was kann man alles mit einem Konto, Geld und Münzen machen? Ordnen Sie zu.

sparen • überweisen • übrig haben • bezahlen • ausgeben • ~~auf der Bank haben~~ • verlieren • leihen • dabeihaben • kündigen • ~~eröffnen~~ • abheben • wechseln • umtauschen • sammeln • auf dem Konto haben • überziehen • sperren

1 ein Konto: _auf der Bank haben, eröffnen, ..._
2 Geld: _____
3 Münzen: _____

b   Schreiben Sie Sätze.

1 Ich habe ein Konto auf der Bank. Gestern habe ich ein Konto eröffnet. ...

zu Wortschatz, S. 82, Ü3

18 Rätsel 📖 ÜBUNG 23   WORTSCHATZ

Bilden Sie Nomen und ordnen Sie sie zu.

Bar- • Falsch- • Groß- • Kauf- • ~~Klein~~ • Sonder- • Super- • Schau-	Angebot • Fenster • Geld • ~~Geld~~ • Handel • Haus • Markt • Zahlung

1 Ein anderes Wort für Münzen: _Kleingeld_
2 Ein Geschäft, in dem es mehrere Abteilungen unter einem Dach gibt: _____
3 Ein Geschäft hat ein _____. Dort wird die aktuelle Ware gezeigt.
4 Ein Geschäft, in dem man Waren kauft, die man zum täglichen Leben braucht: _____
5 Wenn man etwas kauft und mit Geldscheinen und Münzen bezahlt: _____
6 Ein Produkt, das für eine bestimmte Zeit günstig zu kaufen ist: _____
7 Ein Geschäft, in dem Händler selber einkaufen: _____
8 Geldscheine, die illegal kopiert wurden: _____

LEKTION 7

zu Wortschatz, S. 82, Ü3

19 Wortbildung Nomen: Nachsilben 🖥 ÜBUNG 24, 25   GRAMMATIK

a   **Welche sechs Wörter sind nicht feminin? Markieren Sie.**

Anleitung • Energie • Gesundheit • Sportler • Anmeldung • Schneiderei • Körper •
Ausbildung • Krankheit • Kritik • Musikant • Packung • Politik • Psychologie • Schauspieler •
Dirigent • Technik • Übung • Unterhaltung • Versicherung • Wiederholung • Moment

b   **Ergänzen Sie die Artikel.**

1 _____ Hähnchen • Mädchen • Päckchen
2 _____ Meinung • Quittung • Werbung
3 _____ Banker • Mieter • Verkäufer
4 _____ Gesundheit • Freiheit • Mehrheit
5 _____ Garantie • Industrie • Batterie
6 _____ Gemüsehändler • Schauspieler • Arbeitgeber

zu Wortschatz, S. 82, Ü3

20 Soul Kitchen   FILMTIPP / LESEN

a   **Suchen Sie Filmausschnitte im Internet. Was für eine Art Film ist *Soul Kitchen*? Markieren Sie.**

☐ eine Komödie   ☐ ein Dokumentarfilm   ☐ ein Animationsfilm

b   **Ergänzen Sie.**

abkaufen • ~~besitzer~~ • Geld • Geschäftsführer • Kartenspiel •
reichen • Scheck • Stelle • stellt ... ein • verkaufen • verliert

Soul Kitchen ist eine Liebeserklärung des deutsch-türkischen
Regisseurs Fatih Akin an seine Heimatstadt Hamburg.
Der Restaurant besitzer (1) Zinos hat auf allen Gebieten Pech.
Seine Freundin Nadine, aus einer _____ (2)
5 Hamburger Familie, zieht für mehrere Monate nach Shanghai.
Zinos bekommt schwere Rückenschmerzen und kann deshalb im
Restaurant nicht weiterarbeiten. Anna, eine Physiotherapeutin,
kümmert sich um ihn.
Nun kommt auch Zinos' Bruder Illias nach zweieinhalb Jahren aus dem Gefängnis und braucht
10 _____ (3). Er will eine _____ (4) im Restaurant. Zinos _____
aber den Koch Shayn _____ (5), der die Speisekarte total verändert. Das gefällt den Stamm-
kunden nicht, sie kommen nicht mehr. Das Restaurant ist am Ende. Neumann, ein ehemaliger
Schulfreund, will Zinos nun das Restaurant billig _____ (6), um es selbst teuer zu
_____ (7). Überraschenderweise aber wird das Soul Kitchen zum Szene-Treff, als
15 der Kellner Lutz mit seiner Band dort Musik macht. Trotzdem will Zinos seiner Freundin Nadine
nach China folgen. Deshalb macht er seinen Bruder Illias nun doch zum _____ (8).
Am Flughafen trifft er aber Nadine, die nach Hamburg zurückkehrt. Zinos sieht, dass sie einen
neuen Freund hat und es zwischen ihm und Nadine aus ist.
Neumann hat in der Zwischenzeit Illias zu einem _____ (9) überredet. Illias
20 _____ (10) 50 000 Euro. Das Soul Kitchen soll verkauft werden, Zinos hat nun alles
verloren. Nadine will ihm helfen, weil sie ein schlechtes Gewissen hat, und gibt ihm einen
_____ (11) über 200 000 Euro. So bekommt Zinos sein Restaurant zurück und freut
sich auf die Zukunft mit seiner neuen Liebe Anna.

LEKTION 7

zu Hören, S. 83, Ü4

21 Rollentausch

WORTSCHATZ

Ergänzen Sie.

> abwaschen · arbeitslos ·
> ausgeben · ausreichen ·
> Bewerbungen · ~~Ehe~~ ·
> ernährt · gemeinsam

Was passiert, wenn Männer und Frauen in der _Ehe_ (1) die Rollen tauschen? Was bedeutet es, wenn die Frau die Hauptverdienerin ist? Robbie und seine Frau müssen damit leben, dass er _____ (2) geworden ist. Täglich wartet Robbie auf eine Antwort auf eine seiner zahlreichen _____ (3). Seine Frau _____ (4) als Kran-
5 kenschwester die ganze Familie. Ihr Gehalt muss für drei Personen _____ (5): für Robbie, für die kleine Tochter und für sie selbst. Die drei müssen _____ (6) mit der neuen Situation leben lernen. Der Mann erledigt jetzt die Hausarbeit: Geschirr _____ (7), kochen, putzen, die Tochter in den Kindergarten bringen. „Für meine Männlichkeit ist das kein Problem." Trotzdem hofft er darauf, wieder Arbeit zu
10 finden, damit die Familie wieder mehr Geld _____ (8) kann.

zu Schreiben, S. 84, Ü3

22 Einkauf im Discounter 🖥 ÜBUNG 26

KOMMUNIKATION

Ergänzen Sie.

> Ich finde es schlimm, · Ich denke, · Meiner Meinung nach ·
> Positiv finde ich, · Ich finde es gut, · ~~Ich finde es problematisch,~~

Ich finde es problematisch, (1) dass nicht nur arme Leute beim Discounter einkaufen, sondern immer mehr reiche. Die könnten es sich doch leisten, in einem normalen Laden einzukaufen. Bald haben wir nur noch solche riesigen Supermärkte. Schlimm.
_____ (2) ist das eine Katastrophe. _Nikky Reimers, Mainz_

Warum sind eigentlich alle gegen die Billigläden? _____ (3)
dass nicht alle Läden gleich teuer sind. _____ (4)
dass ich mir als Auszubildende auch mal Champagner leisten kann, weil er beim Discounter bezahlbar ist. Denkt doch mal an die kleinen Leute! _Christa Burmeister, Köln_

Die vielen kleinen Läden, die es früher in unserer Nachbarschaft gab, sind alle weg.
_____ (5) dass das schade ist. Keiner kauft mehr seine Milch in kleinen Lebensmittelgeschäften um die Ecke, weil sie im Discounter 5 oder 10 Cent billiger ist. _____ (6) dass unser Bürgermeister seit Jahren gar nichts tut. Typisch! Wo bleibt denn da die Lebensqualität? _Axel Rienhoff, Wien_

LEKTION 7

zu Sehen und Hören, S. 85, Ü2

23 Personen beschreiben

WORTSCHATZ

a Schreiben Sie die Adjektive richtig. Welche Adjektive haben die gleiche Bedeutung (Synonyme)?
Ordnen Sie zu.

1 BERUNSAU	unsauber	kann nicht normal gehen
2 AKRNK		gut gekleidet
3 GITZSCHMU		nicht gesund
4 BEHDINTER		nicht berufstätig
5 CKIHCS		ungepflegt
6 RAESIRT		ohne Bart
7 SEIARBLOST		dreckig

b Suchen Sie die Synonyme.
Verwenden Sie ein einsprachiges Wörterbuch.

1 dunkel   finster

2 traurig

3 gesund

4 beschäftigt

5 sauber

> **dun|kel** [ˈdʊŋkl̩], dunkler, am dunkelsten ⟨Adj.⟩: **1.** *nicht oder nur wenig hell, beleuchtet:* dunkle Straßen; es wird schon früh dunkel. *Syn.:* finster. **2.** *nicht hell, sondern sich in der Farbe eher dem Schwarz nähernd:* ein dunkler Anzug; ein dunkles Grün; die Brille ist dunkel getönt. **3.** *(von Klängen, Tönen) nicht hell, sondern tief [wirkend]:* eine dunkle Stimme; dunkel klingen. **4.** *zweifelhaft, verdächtig:* dunkle Geschäfte machen.

zu Sehen und Hören, S. 85, Ü3

24 Inhaltsangabe zum Film 🖥 ÜBUNG 27

LESEN

Bringen Sie die Sätze in die richtige Reihenfolge.

☐ Dem Geschäftsmann ist es unangenehm, dass ihm der Bettler folgt. Er überfährt den Bettler fast und lässt ihn liegen.

☐ Als der Geschäftsmann den Bettler am nächsten Tag nicht mehr sieht, ist er traurig. Er fährt durch die Stadt und sucht ihn. Schließlich findet er den Bettler an einer anderen Stelle.

☐ Als Zeichen der Dankbarkeit wäscht der Bettler täglich Hoffmanns Auto.

☐ Der Geschäftsmann will dem Bettler einen großen Geldschein geben.

[2] Der Geschäftsmann, Herr Hoffmann, im hellen Mantel, arbeitet in einem modernen Bürohaus mit großen Fenstern. Der Bettler steht schmutzig vor dem Gebäude. Einsam sind sie beide.

[1] Der Film erzählt die Geschichte einer besonderen Beziehung zwischen einem Geschäftsmann und einem Bettler.

☐ Doch das möchte Herr Hoffmann nicht. Er verbietet dem Bettler, sein Auto zu waschen.
Aber der wäscht weiter.

☐ Eines Tages hat Herr Hoffmann kein Kleingeld übrig. Deshalb versucht er, dem Bettler nicht zu begegnen.

☐ Jeden Tag gibt der Geschäftsmann dem Bettler ein paar Münzen.

☐ Doch der Bettler nimmt ihn nicht an und geht weg.

☐ Der Bettler versteht das Verhalten des Geschäftsmanns nicht und ist enttäuscht. Er verlässt seinen Stammplatz.

☐ Der Bettler sieht ihn aber und folgt ihm zu dessen Auto auf den Parkplatz.

zu Sehen und Hören, S. 85, Ü3

25 Geldbeutel von bekannten Personen

LESEN

a **Lesen Sie den Text und ordnen Sie die Begriffe zu.**

> Anti-Doping-Liste (1) · Kalender (2) ·
> Parkausweis Olympiastützpunkt (3) ·
> Urlaubsfoto (4) · Visitenkarte (5)

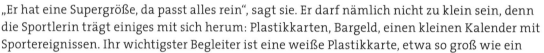

In den letzten sieben Jahren hat Maria
Höfl-Riesch sechs oder sieben neue
Geldbeutel gekauft. Jetzt liegen sie alle
unbenutzt im Schrank. Denn die Ski-
5 Weltcupsiegerin kann sich einfach nicht
von ihrem alten Geldbeutel trennen.
„Er hat eine Supergröße, da passt alles rein", sagt sie. Er darf nämlich nicht zu klein sein, denn
die Sportlerin trägt einiges mit sich herum: Plastikkarten, Bargeld, einen kleinen Kalender mit
Sportereignissen. Ihr wichtigster Begleiter ist eine weiße Plastikkarte, etwa so groß wie ein
10 Personalausweis. Es ist eine Liste der Anti-Doping-Kommission. „Sportler müssen sich halt an
Regeln halten."
Ihren Parkausweis für den Olympiastützpunkt hat sie immer dabei. 90 Prozent einer Woche
verbringt die erfolgreiche deutsche Skirennläuferin mit dem Training. Das einzige Foto, das sie
bei sich hat, zeigt sie mit Ehemann Marcus im Urlaub auf Mauritius. Eine eigene Visitenkarte
15 hat sie noch nicht, sie hat einfach die von ihrem Mann und Manager übernommen.

b **Steht das im Text? Markieren Sie.**

	Ja	Nein
1 Die Skiläuferin Maria Höfl-Riesch hat mehrere Geldbeutel.	☐	☐
2 Sie hat immer ihren Personalausweis dabei.	☐	☐
3 Sie braucht eine Liste mit Medikamenten.	☐	☐
4 Sie fährt mit dem Auto und hat einen Parkausweis.	☐	☐
5 Sie hat ein Foto von sich und ihrem Bruder bei sich.	☐	☐
6 Sie hat keine eigene Visitenkarte.	☐	☐

26 Mein Geldbeutel

MEIN DOSSIER

**Was ist alles in Ihrem Geldbeutel?
Wofür brauchen Sie die Dinge?
Schreiben Sie:**

- Wie viel Bargeld tragen Sie ungefähr
  bei sich? Warum gerade so viel?
- Welche Geldkarten haben Sie dabei?
- Welche Fahrkarten? Wofür sind sie?
- Welche Fotos? Von wem?
- Welche Visitenkarten? Warum?
- Haben Sie Mitgliedsausweise
  oder Kundenkarten? Für welchen
  Verein / welches Geschäft?

Das ist mein Geldbeutel.
Ich habe immer ungefähr 70 Euro dabei.
Damit kann ich auch mal spontan
einkaufen gehen. Außerdem habe ich ...

AUSSPRACHE: Kurze und lange Vokale

1 Spiel: Namen mit kurzen und langen Vokalen

a Sie bekommen von Ihrer Lehrerin / Ihrem Lehrer ein Kärtchen mit einem deutschen Nachnamen.
Rufen Sie sich dann im Kurs beim Namen.

Hahler	Hieler	Huhler	Höhler
Haller	Hiller	Huller	Höller
Heeler	Hohler	Hähler	Hühler
Heller	Holler	Heiler	Hüller

Ich bin Frau Hahler und rufe Herrn Müller.

Ich bin Herr Müller und rufe …

 b Welche Vokale werden lang ausgesprochen? Hören Sie und markieren Sie.

	lang		lang		lang
1 Hahler	☒	5 Hohler	☐	9 Huller	☐
2 Heiler	☐	6 Hiller	☐	10 Hähler	☐
3 Heller	☐	7 Höller	☐	11 Heeler	☐
4 Hieler	☐	8 Hühler	☐	12 Holler	☐

2 Hördiktat

a Hören Sie und ergänzen Sie.

	lang	kurz
a	rate	Ra
e	Be	Be
i	Mi	Mi
o	Of	of
ü	fü	fü
ö	Hö	Hö

b Lesen Sie die Wortpaare laut.

3 Flohmarkteinkäufe

a Was kauft Claudia auf dem Flohmarkt?
Hören Sie und ergänzen Sie.

Claudia kauft
1 ein F Ⓐ H R R Ⓐ Ⓓ
2 ein S _ _ _ _ _
3 eine H _ _ _ _
4 eine K _ _ _ _ _
5 einen S _ _ _ _ _ _ _
6 ein G _ _ _ _ _
7 M _ _ _ _ _ _ _ _
8 ein Paar B _ _ _ _ _ _ _ _

b Welche Vokale sind lang? Markieren Sie in a.

c Schreiben Sie eine Geschichte mit den Wörtern aus a.
Lesen Sie sie im Kurs vor. Achten Sie dabei auf die Länge der Vokale

Claudia ist auf dem Flohmarkt.
Ihr Sohn wünscht sich unbedingt ein …

LEKTION 7 LERNWORTSCHATZ

SEITE 75 EINSTIEG

die Anleitung, -en _____

das Spiel, -e _____

der Spielleiter, - _____

die Reihe, -n _____

die Rückseite, -n _____

an die Reihe kommen* _____

gewinnen* _____

SEITE 76–77 SPRECHEN 1

das Brettspiel, -e _____

die Figur, -en _____

der Start, -s _____

die Strategie, -n _____

der Würfel, - _____

abnehmen* _____

ehren _____

gehören zu (+ Dat.) _____

handeln _____

landen _____

verbrauchen _____

zählen zu (+ Dat.) _____

SEITE 78 LESEN 1

die Gefahr, -en _____

der Händler, - _____

die Höhe, -n _____

der Profi, -s _____

der Typ, -en _____

der Trick, -s _____

bedienen _____

überreden _____

werfen* _____

hauptsächlich _____

sondern _____

SEITE 79 SPRECHEN 2

die Marke, -n _____

der Zustand, ⁻e _____

bieten* _____

verlangen _____

SEITE 80–81 LESEN 2

die Entscheidung, -en _____

die Jeans (Pl.) _____

das Opfer, - _____

der Ratschlag, ⁻e _____

achten auf (+ Akk.) _____

ausgeben* _____

gelten* _____

prüfen _____

aufregend _____

hungrig _____

schwierig _____

bevor _____

desto _____

erstens, zweitens, drittens _____

öfter _____

so viel _____

zu wenig _____

LEKTION 7 LERNWORTSCHATZ

SEITE 82 WORTSCHATZ

die Beziehung, -en _____

die Elektronik (Sg.) _____

das Kaufhaus, ̈er _____

das Konto, die Konten _____

der Kredit, -e _____

die Mehrheit, -en _____

das Sparbuch, ̈er _____

der Zins, -en _____

(einen Kredit) aufnehmen* _____

hassen _____

sparen _____

überweisen* _____

überziehen* _____

in bar _____

SEITE 84 SCHREIBEN

die Hälfte, -n _____

das Verhalten (Sg.) _____

aussuchen _____

(sich) wundern über (+ Akk.) _____

schließlich _____

SEITE 85 SEHEN UND HÖREN

der Bart, ̈e _____

der Bettler, - _____

der Geschäftsmann, ̈er _____

der Krimi, -s _____

(sich) rasieren _____

zusammenfassen _____

WELCHE WÖRTER MÖCHTEN SIE NOCH LERNEN?

7

_____

_____

_____

_____

_____

_____

_____

_____

_____

_____

_____

_____

_____

_____

LEKTIONSTEST 7

1 Wortschatz

Was passt nicht? Markieren Sie.

1 ☐ Quittung   ☐ Anleitung   ☐ Garantie   ☐ Rechnung
2 ☐ Konto   ☐ Zinsen   ☐ Sparbuch   ☐ Postkarte
3 ☐ ein Geschenk   ☐ ein Artikel   ☐ ein Produkt   ☐ eine Ware
4 Geld kann man: ☐ ausgeben   ☐ sparen   ☐ überweisen   ☐ überziehen
5 ich kaufe: ☐ im Internet   ☐ im Kaufhaus   ☐ in der Industrie   ☐ in der Einkaufspassage
6 ein Produkt ist: ☐ beliebt   ☐ finanziell   ☐ selten   ☐ viel wert

Je 1 Punkt   Ich habe _____ von 6 möglichen Punkten erreicht.

2 Grammatik

a   Ergänzen Sie die Nachsilben und die Artikel.

1 _____ Industr_____	4 _____ Pack_____	7 _____ Sicher_____
2 _____ Entscheid_____	5 _____ Sport_____	8 _____ Elektron_____
3 _____ Händl_____	6 _____ Stud_____	9 _____ Praktik_____

Je 1 Punkt   Ich habe _____ von 9 möglichen Punkten erreicht.

b   Ergänzen Sie.

Wer wird Millionär?

1 Dieses Fernsehratespiel _____ in vielen Ländern _____ Menschen jeden Alters
   ähnlich _____ (spielen).
2 Am Anfang _____ der erste Kandidat _____ (vorstellen).
3 Die Fragen _____ langsam _____ (zeigen).
4 Dann _____ die vier möglichen Antworten _____ (vorlesen).
5 Beim Lösen der Aufgaben dürfen mehrere „Joker" _____ _____ (benutzen).
6 Der Spieler _____ _____ Moderator lange _____ (befragen).
7 Während der Sendung können Helfer zu Hause _____ _____ (anrufen).

Je 0,5 Punkte   Ich habe _____ von 8 möglichen Punkten erreicht.

3 Kommunikation

Ordnen Sie zu.

☐ Dürfte ich • ☐ ein toller Markt • ☐ einen guten Kauf • ☐ finde ja •
☐ rausgeben • ☐ Sagen wir • ☐ würden Sie denn

■ Das ist _(1)_ heute, nicht?
● Das finde ich auch. So viel Auswahl gibt es selten. _(2)_ die Tasche mal sehen?
■ Selbstverständlich. Das ist eine echte MarcChall-Tasche. Ich _(3)_, dass das die beste Marke ist.
   Was _(4)_ bezahlen?
● _(5)_ 70 Euro.
■ Okay.
● Können Sie mir auf 100 Euro _(6)_?
■ Sicher. Hier bitte. Dann viel Spaß mit der Tasche. Da haben Sie _(7)_ gemacht.

Je 1 Punkt   Ich habe _____ von 7 möglichen Punkten erreicht.

Auswertung: Vergleichen Sie Ihre Lösungen mit S. 135.
Ihre Erfolgspunkte tragen Sie unter jeder Aufgabe ein.

☺	☺	☹
30–26	25–15	14–0

Ich habe _____ von 30 möglichen Punkten erreicht.

LEKTION 8 LEBENSLANG LERNEN

1 *kennen – wissen – können*

Welches Verb passt? Ergänzen Sie in der richtigen Form.

1 Martin spielt nun seit einem halben Jahr Gitarre und _kann_ schon einige Musikstücke spielen.
Aber er _____ viele gute Gitarristen und _____, dass er noch sehr
lange üben muss, bis er so gut ist wie sie.

2 ■ _____ Sie, wie ich am schnellsten zur Oper komme?
● Es tut mir leid. Ich bin nicht von hier und _____ die Stadt nicht gut.

3 Wer die österreichischen Süßspeisen nicht _____, muss sie unbedingt einmal
probieren. Meine Tante _____ die besten Germknödel machen.

4 Man _____ heute, dass Menschen ihr Leben lang etwas dazulernen
_____. Ich _____ einen 90-Jährigen, der noch eine Doktorarbeit
schreiben möchte.

2 Welches Nomen passt?

a **Ordnen Sie zu.**

Wörter • Formular • Kurs • ~~Prüfung~~ • Material

1 stattfinden – bestehen – dauern: _Prüfung_
2 ausdrucken – abgeben – ausfüllen: _____
3 besuchen – sich anmelden zu – wechseln: _____
4 einfallen – sich merken – übersetzen: _____
5 benutzen – vergleichen – ausprobieren: _____

b **Schreiben Sie Sätze mit den Wörtern aus a.**

1 Die Prüfung findet am Donnerstag um 12 Uhr in Raum 3 statt.

---

zur Einstiegsseite, S. 87, Ü1

3 Was lernt man in welchem Alter? 💻 ÜBUNG 1, 2   HÖREN

CD 1 C47 a **Ein Interview mit dem Experten Till Maar: Hören Sie und ordnen Sie zu.**

Alter
1 mit einem Jahr
2 mit zwei Jahren
3 mit drei Jahren
4 mit vier Jahren
5 mit fünf Jahren
6 mit sechs bis sieben Jahren
7 mit acht bis zehn Jahren
8 mit 16 Jahren
9 mit 18 Jahren
10 mit circa 26 Jahren
11 ab circa 40 Jahren

Fähigkeiten
A Fahrrad fahren
B „Vater-Mutter-Kind" spielen
C ein Musikinstrument spielen
D kurze Sätze sprechen
E vollständig selbstverantwortlich handeln
F kurze Texte lesen und schreiben
G sportlich erfolgreich sein
H schwimmen
I ein Amt in der Politik ausüben
J laufen
K Verantwortung im Beruf übernehmen

8

b   Lesen Sie Auszüge aus dem Interview. Was passt? Markieren Sie.

- ■ Na, da müsste ich bei manchen Dingen wohl meine Eltern fragen, die haben mich schließlich __(1)__ und mir vieles beigebracht.
- ● Wir haben hier eine Liste mit Fähigkeiten oder __(2)__ und würden Sie bitten, das passende Alter zuzuordnen.
- ■ In der ersten Klasse habe ich dann natürlich Lesen und Schreiben gelernt – am Anfang noch mit __(3)__ nur einfache, kurze Texte.
- ■ Also ich habe zwar nie ein Musikinstrument gespielt, aber meine Tochter, die hat mit 9 Jahren angefangen, Gitarre zu lernen. Inzwischen ist sie 13 und hat __(4)__ enorm __(4)__.
- ■ Also für ein höheres politisches __(5)__ sollte man wohl schon etwas älter sein, so um die 40 vielleicht.

1 ☐ erfahren   ☒ erzogen   ☐ ernährt
2 ☐ Aktivitäten   ☐ Antworten   ☐ Ausnahmen
3 ☐ Bewegung   ☐ Gefühl   ☐ Mühe
4 ☐ sich … verbessert   ☐ sich … verspätet   ☐ sich … vergrößert
5 ☐ Spiel   ☐ Fach   ☐ Amt

zu Wussten Sie schon?, S. 88

4 Eine Volkshochschule kennenlernen 🖥 ÜBUNG 3   LANDESKUNDE / KOMMUNIKATION

a   Suchen Sie im Internet eine Volkshochschule in Deutschland aus. Klicken Sie auf die Programmübersicht. Welche Themenbereiche bietet diese VHS an? Notieren Sie.

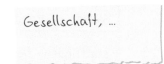

Gesellschaft, …

b   Wählen Sie einen Themenbereich aus und vergleichen Sie zwei interessante Kurse. Ergänzen Sie die Tabelle.

Themenbereich	Beispiel	Kurs 1	Kurs 2
Thema	Farb- & Typberatung		
Kursinhalt	individuelle Beratung zu Farb-, Stil- und Imagefragen		
Nötige Vorkenntnisse	keine		
Kurstage	Wochenendseminar, 16 Stunden		
Weitere Hinweise	auch Brillen, Make-up und Frisurberatung		
Kosten	51,10 Euro + 5,- Materialkosten		

c   Sie möchten mit einer Freundin / einem Freund einen der Kurse besuchen. Schreiben Sie ihr/ihm eine E-Mail, und begründen Sie, warum dieser Kurs besonders interessant ist.

„*Im Katalog der VHS … habe ich den Kurs … entdeckt.
Der Kurs interessiert mich, weil man da …
Man erlernt die Grundlagen / fortgeschrittene Kenntnisse in …
Gleichzeitig verbessert man …
Manchmal kann man auch ein Zertifikat für/in …
… findet regelmäßig/einmalig/(immer) am … statt.* „

zu Lesen, S. 88, Ü2

5 Aktuelles an den Volkshochschulen 🖳 ÜBUNG 4   LESEN

a   Lesen Sie folgendes Angebot der VHS Reutlingen. Was ist das Besondere daran? Markieren Sie.

☐ Man kann mit einer Gruppe Franzosen, die nach Paris reist, Französisch lernen.

☐ Man kann im Schnellzug einen Minisprachkurs machen.

☐ Man kann mit einem Lehrer im Hotel, Bistro oder in der Métro Französisch lernen.

Französisch lernen im TGV nach Paris

Der schnellste Sprachkurs der Welt!
Sie reisen als Gruppe nach Paris?
Sie haben keine oder nur ganz wenige
Französisch-Kenntnisse?

Profitieren Sie von unserem Sprachkursangebot für touristisch oder geschäftlich reisende Gruppen von 4 bis 8 Personen auf der TGV-Strecke Stuttgart–Paris um 08:54 Uhr ab Stuttgart!
Sie lernen Vokabeln und Redewendungen, die Sie sofort im Hotel, Bistro, Restaurant, Museum, in der Métro … anwenden können.

Anfragen/Infos/Anmeldung: Volkshochschule Reutlingen, Tel. 0 71 21/4 49 50 oder E-Mail: sprachkurs-tgv@vhsch.de

Teilen Sie uns bitte spätestens 4 Wochen vor Ihrer Paris-Fahrt Ihren Reisetermin und die Gruppengröße mit.
Wir reservieren zu Ihrem Wunschtermin das Sprachkursabteil im TGV und stellen eine Lehrkraft zur Verfügung.
Der Sprachkurs kostet nur EUR 38,00 pro Person.

b   Roland Bäuerle hat an einem Französischkurs im TGV teilgenommen und berichtet einer Freundin darüber. Ergänzen Sie.

> etwa · ~~Paris~~ · wohl · Teilnehmer · trainiert ·
> Team · Französisch · angestrengt · Dialekte

Liebe Charlotte,

letzten Dienstag musste ich mit meinen Kollegen zu einer internationalen Messe nach Frankreich. Und stell Dir vor, was wir auf der Zugfahrt im TGV nach ___Paris___ (1) gemacht haben: einen Mini-Französischkurs! Eine Kollegin hatte von Freunden davon gehört und es gleich für unser _____ (2) gebucht. Man braucht vier bis acht _____ (3) pro Kurs, der Preis ist _____ (4) 40 Euro pro Person.
Während der Fahrt _____ (5) man Vokabeln und Redewendungen, die man oft braucht. Wir haben uns fünf Stunden lang ganz schön _____ (6), aber auch sehr gut amüsiert. Und in Paris haben wir dann alle schon ein kleines bisschen _____ (7) „parliert". Super, oder?
Übrigens: So etwas Ähnliches gibt es _____ (8) auch für Schwyzerdütsch (Schweizerdeutsch), da lernt man in der Tram in Zürich „Züri-Tüütsch" (Züricher Deutsch). Wäre das nichts für Dich? Die _____ (9) in der Schweiz haben Dich doch schon immer interessiert.

Ganz herzliche Grüße
Roland

LEKTION 8

zu Lesen, S. 88, Ü2

6 Unterschiedliche Aktivitäten 📖 ÜBUNG 5   WORTSCHATZ

Was passt nicht? Streichen Sie durch.

1 Kunst und Kultur kann man *unterstützen* – ~~*lernen*~~ – *entdecken*.
2 Ein Schauspieler kann eine Rolle *machen* – *vorbereiten* – *spielen*.
3 Der Student kann ein Referat *tippen* – *vorbereiten* – *fragen*.
4 Kursleiter müssen über einen Kurs *nachdenken* – *planen* – *etwas erfahren*.
5 Kinder müssen *sich bewegen* – *wachsen* – *ausfüllen*.
6 Tiere und Pflanzen kann man *wissen* – *pflegen* – *sich aussuchen*.
7 Einen Volkshochschulkurs kann man *besuchen* – *fragen* – *belegen*.

zu Lesen, S. 89, Ü4

7 Genitiv 📖 ÜBUNG 6, 7   GRAMMATIK ENTDECKEN

a **Welche Formen stehen im Genitiv? Unterstreichen Sie.**

> Hi Svenja,
>
> weißt Du schon das Neueste? Seit ein paar Wochen lerne
> ich Russisch! Das wollte ich ja schon immer. Der Klang der
> Sprache fasziniert mich einfach. Der Kurs macht mir auch
> viel Spaß. Der Unterrichtsstil des Lehrers ist total
> abwechslungsreich! Der Titel <u>des Buches</u> klingt auch sehr
> spannend: *Otlitschno!* Auch wenn es eine schwere Sprache
> ist, komme ich mit dem Lösen der Übungen gut klar.
> „Poka"!

b **Schreiben Sie die Formen in die Tabelle und ergänzen Sie den Nominativ.**

		Genitiv	Nominativ
Singular	maskulin		
	neutral	des Buches	das Buch
	feminin		
Plural			

das **Buch** [buːx]; -(e)s Bücher ['byːçɐ]: **1.** *[grö-ßere] Anzahl bedruckter oder beschrie-bener Blätter, die an einer Seite mitein-ander verbunden und von einem Umschlag bedeckt sind:* das Buch öffnen, aufschlagen, zuklappen; in einem Buch blättern; ein Buch in die Hand nehmen, aus der Hand legen. *Syn.:* ³Band. *Zus.:*

die **Sprache** ['ʃpraːxə]; -, -n: **1.** (ohne Plural) *das Sprechen; die Fähigkeit zu sprechen:* durch den Schock verlor er die Sprache; die Sprache wiederfinden. **2.** *System von Zeichen und Lauten, das von Angehöri-gen einer bestimmten sozialen Gemein-schaft (z. B. von einem Volk) in gespro-chener und geschriebener Form als Mittel*

c **Markieren Sie in der Tabelle Artikel und Endung im Genitiv.**

zu Lesen, S. 89, Ü4

8 Artikel im Genitiv   GRAMMATIK

Ergänzen Sie.

1 die Hinweise ein *es* Mitarbeiter_____ ; die Regeln ein_____ Spiel_____ ; die Erklärung ein_____
   Lehrerin_____
2 die Haltung d_____ Körper_____ ; die Grundlagen d_____ System_____ ; die Mehrheit d_____
   Bevölkerung_____ ; der Inhalt d_____ Materialien
3 die Anleitung mein_____ Trainer_____ ; die Bildung ihr_____ Kind_____ ; das Zertifikat
   sein_____ Assistentin_____ ; die Vorträge ihr_____ Professoren
4 die Pflege mein_____ Pflanzen; der Austausch unser_____ Rezepte; die Methoden d_____
   Lehrer_____ ; der Ablauf d_____ Bewegungen; die Unterlagen Ihr_____ Kurse

LEKTION 8

zu Lesen, S. 89, Ü4

9 Präpositionen mit Akkusativ, Dativ und Genitiv 🖳 ÜBUNG 8, 9 GRAMMATIK

a Ergänzen Sie.

~~trotz~~ • wegen • für • trotz • gegen • wegen • mit • bei • wegen

1 Marina besucht _trotz_ des schönen Wetters eine Ausstellung im Museum _____
   moderne Kunst. Ich gehe lieber _____ schlechtem Wetter dorthin.
2 Die Zuschauer kommen vor allem _____ des beliebten Schauspielers Daniel Brühl,
   der _____ dem Film *Good Bye Lenin* bekannt wurde, ins Kino.
3 _____ unserer kleinen Katze fahren wir nicht so oft in den Urlaub.
4 Die Regierung plant _____ regelmäßiger Proteste der Bevölkerung einen neuen
   großen Bahnhof. _____ der hohen Kosten und der Umweltzerstörung sind viele
   Menschen _____ das Projekt.

b Akkusativ, Dativ oder Genitiv? Ordnen Sie die Präpositionen zu.

gegen _____ _____ + Akkusativ	_____ _____ + Dativ	_____ _____ + Genitiv

c Markieren Sie in a die Endungen der Artikel, Adjektive und Nomen im Genitiv und ordnen Sie sie zu.

maskulin + neutral	feminin	Plural
trotz des schönen Wetters		

zu Lesen, S. 89, Ü4

10 Adjektivendungen im Genitiv 🖳 ÜBUNG 10 GRAMMATIK ENTDECKEN

a Ergänzen Sie den Artikel.

1 _____ Wein   2 _____ Öl   3 _____ Pflege

b Ergänzen Sie die Endungen. Achten Sie auf die Signale.

maskulin + neutral
der Geschmack ein**es** teur**en** Wein**s** / Öl____
der Geschmack d**es** teur**en** Wein____ / Öl**s**
der Geschmack teur**en** Wein____ / Öl____

feminin	Plural
das Ergebnis ein____ gut**en** Pflege	
das Ergebnis d**er** gut____ Pflege	die Hinweise d**er** nett**en** Lehrer
das Ergebnis gut____ Pflege	die Hinweise nett____ Lehrer

zu Lesen, S. 89, Ü4

11 Was passt?

GRAMMATIK

a **Ordnen Sie zu und schreiben Sie.**

1 Fragen	abstrakt / Kunst
2 Wahl	klug / eine Teilnehmerin
3 Erklärungen	sympathisch / die Lehrerin
4 Sammeln	alt / die Ägypter
5 Verkauf	neu / ein Bürgermeister
6 Kultur	wertvoll / die Antiquitäten

1 die Fragen einer klugen Teilnehmerin
2 ...

b **Ergänzen Sie die Sätze.**

1 Der Kursleiter freut sich über *die Fragen einer klugen Teilnehmerin.*
2 Ein besonderes Hobby ist _____
3 Die Schüler verstehen _____
4 Mehr wissen würde ich gern über _____
5 Meine Tante verdient viel Geld mit _____
6 _____ ist in einer Demokratie geheim.

zu Sprechen, S. 90, Ü1

12 Sprichwörter und Zitate zum Thema „Lernen"

LESEN

Ordnen Sie zu. Welches der folgenden Sprichwörter und Zitate sagt Folgendes aus:

1 Die Lehrmethoden in der Schule sind oft sehr langweilig. ☐ F
2 Man kann nur als junger Mensch gut lernen. ☐
3 Man lernt das, was man selbst ausprobiert hat, am besten. ☐
4 Man kann in jedem Alter etwas lernen. ☐
5 Es ist wichtig und nützlich zu lernen. ☐
6 Als Erwachsener braucht man oft das Gegenteil von dem, was man als Kind gelernt hat. ☐

A *Also lautet der Beschluss,*
   dass der Mensch was lernen muss.
   Lernen kann man, Gott sei Dank,
   aber auch sein Leben lang.
                    Wilhelm Busch

B *Nicht für die Schule lernen wir,*
   sondern für das Leben.
                    Seneca

D *Im Leben lernt der Mensch zuerst gehen*
   und sprechen. Später lernt er dann,
   still zu sitzen und den Mund zu halten.
                    Marcel Pagnol

C *Was Hänschen nicht lernt,*
   lernt Hans nimmermehr.

F *Wenn alles schläft und einer spricht,*
   dann nennt man so was Unterricht.

E *Erzähle mir und ich vergesse.*
   Zeige mir und ich erinnere.
   Lass mich tun und ich verstehe.
                    Konfuzius

zu Sprechen, S. 91, Ü3

13 Vor- und Nachteile von Online-Lernen

WORTSCHATZ

Was meinen Sie? Ist das ein Vorteil (V) oder ein Nachteil (N) von Online-Lernen? Markieren Sie.

	V	N
1 Man überlegt sich selbst, wo, wann und wie lange man lernen will.	☒	☐
2 Man kann sich auf persönliche Schwächen konzentrieren.	☐	☐
3 Man hat sein eigenes, persönliches Lerntempo.	☐	☐
4 Man kann niemanden direkt und schnell fragen.	☐	☐
5 Man ist abhängig von der Technik.	☐	☐
6 Man kann im Lernstoff nach vorne und wieder zurück springen.	☐	☐
7 Man muss sich selbst motivieren weiterzumachen.	☐	☐
8 Man hat keinen langen Weg zum Lernort.	☐	☐

zu Sprechen, S. 91, Ü4

14 Ein Gespräch über Online-Lernen 🖳 ÜBUNG 11, 12, 13

KOMMUNIKATION

a **Lesen Sie und ergänzen Sie.**

> ..., was ich auch sehr nützlich finde. • ... kann ich verstehen, aber ... • Es ist für mich wichtig, ... • ~~kommt für mich persönlich nicht infrage~~. • ... man damit sehr gut ... kann. • Na gut, dann lernen wir ... • ... möchte ich nicht so gern machen • ein Drittel bis die Hälfte • ... ist mir das auch recht

Britta: Bis vor Kurzem habe ich geglaubt, man braucht beim Lernen unbedingt eine Person, die einen motiviert und immer sofort korrigiert. Deshalb war ich sicher, Online-Lernen _kommt für mich persönlich nicht infrage_ (1). Dann hat mir eine Freundin einen elektronischen Sprachtrainer für Englisch geliehen und ich habe festgestellt, dass _____ Wortschatzübungen am Computer machen _____ (2). Man kann sich die korrekte Aussprache der Wörter gleich anhören und nachsprechen, _____ (3).

Ben: Also ehrlich gesagt, so einen Online-Kurs _____ (4). _____ (5), dass ich mit anderen Menschen zusammen die Sprache lerne und ein realer Lehrer hilft und verbessert. Ich habe auch gelesen, dass gerade bei Online-Sprachkursen viele Menschen die Lust verlieren, und _____ (6) der Teilnehmer bald wieder damit aufhört.

Britta: Dass es dir allein nicht so viel Spaß macht, _____ , _____ (7) dann musst du mir versprechen, mit mir zusammen einen Spanischkurs zu machen.

Ben: _____ (8) Spanisch. Das ist ja eine tolle und wichtige Sprache. Wenn du dann etwas mehr Wörter kannst als ich, _____ (9).

b **Wer sagt was? Markieren Sie.**

	Britta	Ben
1 Wörter und Aussprache kann man gut online üben.	☐	☐
2 Beim Online-Lernen ist es sehr schwer, sich selbst zu motivieren.	☐	☐
3 Viele Menschen beginnen einen Online-Sprachkurs, machen aber dann nicht weiter.	☐	☐
4 Online-Lernen kann man gut mit traditionellem Unterricht kombinieren.	☐	☐

c **Wie finden Sie Online-Lernen? Schreiben Sie Ihre Meinung und verwenden Sie dabei die Redemittel aus dem Kursbuch S. 91. Schreiben Sie circa 5–7 Sätze.**

LEKTION 8

zu Hören 1, S. 92, Ü1

15 Bildungssystem in Deutschland 🖳 ÜBUNG 14, 15   WORTSCHATZ

Ergänzen Sie.

> Gymnasium · Grundschule · ~~Universität~~ · Kindergarten

Institution		Alter
Universität, Fachhochschule oder duale betriebliche Ausbildung bzw. Fachschule		ab 18/19 Jahren
Sekundarschule: Realschule, (Fach-)Oberschulen, Gesamtschule,		Circa 11–18 Jahre
_____		6–10 (oder 12) Jahre
_____, Kita (Kindertagesstätte)		2–6 Jahre

WIEDERHOLUNG GRAMMATIK

zu Hören 1, S. 93, Ü4

16 Negationswörter

Ergänzen Sie _kein-, nichts, niemand, nirgends, nie(mals)._

1 Viele Jugendliche haben oft _ein/_ kein positives Vorbild.
2 Die Bevölkerung hat _etwas/_____ von den Plänen der Regierung erfahren.
   Fast _immer/_____ bieten die Politiker genug Möglichkeiten zum Meinungsaustausch.
3 Lehrer wissen häufig _alles/_____ über ihre Schüler, weil sie sich _oft/_____ nach ihren Problemen erkundigen. Für viele Kinder ist ein Lehrer, den sie nur zwei bis vier Stunden pro Woche sehen, außerdem _eine/_____ Vertrauensperson.
4 Ab sofort darf _überall/_____ im Schulhaus mit Handys telefoniert werden.
   Alle wussten es, aber _____ hat sich daran gehalten

---

zu Hören 1, S. 93, Ü4

17 Die Position von _nicht_   GRAMMATIK ENTDECKEN

Ordnen Sie die Sätze den Regeln in der Tabelle auf S. 125 zu.

1 Einige Kinder machen **nicht** die Hausaufgaben.
2 Schulgeld zu zahlen ist für viele Eltern **nicht** möglich.
3 Ich glaube **nicht** der Politikerin, sondern der Dozentin.
4 Die Politiker sprechen **nicht** über die Kosten für ihr Projekt.
5 Die neue Kunsthalle soll schön sein. Leider war ich bisher **nicht** dort.
6 Der Moderator erklärt den Gästen das Schulsystem **nicht**.
7 Viele Familien können sich eine Privatschule **nicht** leisten.

Regel		Satz
„nicht" steht	meist am **Satzende**	☐
(jedoch)	**vor** dem 2. Verbteil	☐
	vor Nomen, die zum Verb gehören	☑
	vor einem Adjektiv, das *sein* oder *werden* ergänzt	☐
	vor einer Präpositionalergänzung	☐
	vor einer lokalen Ergänzung	☐
oder	**vor** dem **Satzteil**, der verneint wird	☐

zu Hören, S. 93, Ü4

18 Wo steht *nicht*?　　　　　　　　　　　　　　　　　GRAMMATIK

Verneinen Sie die Sätze, indem Sie *nicht* an der richtigen Stelle ergänzen.

1 Die Moderatorin hat die Namen der teuren Privatschulen genannt.
2 Die Gesprächsteilnehmer sind sich einig.
3 Die Stadt hat für günstige Kindergartenplätze gesorgt.
4 Die Erzieher erkundigen sich nach der Situation in sozial schwierigen Familien.
5 Gute und moderne Kindergärten baut man überall.

1 Die Moderatorin hat die Namen der teuren Privatschulen nicht genannt.

zu Hören, S. 93, Ü4

19 Wo fehlt *nicht*? 🖳 ÜBUNG 16, 17, 18　　　　　　　GRAMMATIK

Verneinen Sie den unterstrichenen Satzteil.

1 a <u>Die tolle Schauspielerin</u> wurde am Burgtheater in Wien entdeckt. (sondern ihr jüngerer Kollege)
   Nicht die tolle Schauspielerin, sondern ihr jüngerer Kollege wurde am Burgtheater in Wien entdeckt.

   b Die tolle Schauspielerin wurde <u>am Burgtheater in Wien</u> entdeckt. (sondern am Theater in Nürnberg)

2 a <u>Die Besucher</u> finden den historischen Stadtturm interessant. (sondern die Reiseleiter)

   b Die Besucher finden <u>den historischen Stadtturm</u> interessant. (sondern den Musiker)

zu Schreiben, S. 94, Ü2

20 Rund um die Schule 🖳 ÜBUNG 19　　　　　　　　WORTSCHATZ

Ordnen Sie zu.

1 An öffentlichen Schulen ist　　　　　A dass alle Kinder die gleichen Chancen haben.
2 Aber in einer Schulklasse lernen　　　B auf der sie Abitur machen können.
3 Nicht alle besuchen eine Schule,　　　C der Unterricht recht gut.
4 Ich finde, man sollte　　　　　　　　D die Kinder in eine Ganztagsschule schicken.
5 Außerdem wäre es wichtig,　　　　　E durchschnittlich 28–30 Schüler zusammen.

LEKTION 8

zu Schreiben, S. 94, Ü2

21 Diskussionsforum 🖳 ÜBUNG 20   GRAMMATIK

a   Lesen Sie den folgenden Beitrag zum Thema Privatschulen und korrigieren Sie die Fehler.
Pro Zeile gibt es einen Fehler.

Korrektur

Einige Leute behaupten, dass der Unterricht ~~bei~~ öffentlichen Schulen   an

nicht so gut ist, weil in einer Schulklasse manchmal über 30 Kindern

zusammen lernen. Wer genug Geld hat, kann ihre Kinder auf

Privatschulen zu schicken, weil diese natürlich etwas kosten.

5 Dafür nehmen sich dort jeder Lehrer häufig mehr Zeit für die Schüler.

Ich finde aber, alles Kinder sollten die Chance haben,

eine wirklich gute öffentliche Schule besuchen. Das kann ich

auch begründen. Man braucht in Zukunft ein Menge gut ausgebildeter

junger Menschen. Deshalb wäre wichtig, in allen Schulen eine

10 optimale Unterrichtsqualität zu haben. Außerdem möchte der

Unterricht bis 16 oder 17 Uhr dauern. Natürlich von höchstens

15 Schülern pro Klasse. Das wäre optimaler!

CD1 🔘48   b   Hören Sie nun und vergleichen Sie.

WIEDERHOLUNG GRAMMATIK

zu Hören 2, S. 95, Ü2

22 Wechselpräpositionen 🖳 ÜBUNG 21

Ergänzen Sie *in, an, auf, vor, hinter, neben, zwischen* und die Endungen der Artikel und Adjektive.

Erfolg auf der Bühne

Die junge Schauspielerin Emmy K. stand zum ersten Mal
_____ d_____ (1) Bühne und sollte _____ ein_____
groß_____ (2) Publikum spielen. _____ d_____ (3)
5 ersten Reihe saß auch der Regisseur des Theaterstücks. Kurz
bevor das Stück begann, setzte sich die Bürgermeisterin der
Stadt direkt _____ d_____ (4) Regisseur _____
d_____ (5) freien Platz. Der drehte sich zu ihr hin und
begrüßte sie. Dann begann das Stück.

10 Emmy und ihre Kollegen spielten großartig. Sobald der Vorhang gefallen war, bekamen sie von den
Zuschauern großen Applaus. Die Schauspieler kamen noch einmal _____ d_____ (6) Bühne,
_____ d_____ (7) Vorhang und dankten dem Publikum. Emmy stand _____ ihr_____ (8)
Kollegen und strahlte vor Glück. Dann gingen alle wieder zurück _____ d_____ (9) Vorhang.

Einige Zuschauer warfen nun sogar Rosen _____ d_____ (10) Bühne und riefen laut: „Emmy,
15 Emmy!" Erst als Emmy K. dann noch einmal kam und begann, einige persönliche Worte _____
ihr____ (11) Publikum zu richten, hörte der Applaus auf. Am Ende ihrer Dankesrede hatte Emmy Tränen
_____ d_____ (12) Augen.

LEKTION 8

zu Hören 2, S. 95, Ü2

23 Lokale Präpositionen

GRAMMATIK

Ergänzen Sie in der richtigen Form.

| Lehrer • Klassenzimmer • Tisch • Schwarzes Brett • ~~Schulgebäude~~ • Flur |

1 Innerhalb _des Schulgebändes_ ist das Telefonieren verboten.

2 Die Schüler sitzen _____ _____ gegenüber.

3 Die Schüler stehen um _____ herum.

4 Die Schüler sind nun außerhalb _____ _____.

5 Die Schüler laufen _____ _____ entlang.

6 Die Schüler laufen am _____ vorbei.

zu Hören 2, S. 95, Ü2

24 Verkehrsregeln wiederholen 💻 ÜBUNG 22, 23

GRAMMATIK

a **Ergänzen Sie die passende Präposition und die Endungen, wo nötig.**

| außerhalb • innerhalb • entlang • an … vorbei • um … herum |

1 Fahren Sie langsam _____ dem Krankenhaus _____ und machen Sie keinen Lärm.

2 Schneller als 30 km pro Stunde dürfen Sie nur _____ dies____ Zone____ fahren.

3 Im Kreisverkehr fährt man _____ ein____ Verkehrsinsel _____.

4 _____ ein____ Stadt____ darf man höchstens 50 km/h fahren.

5 Wenn Sie dies____ Straße _____ fahren, müssen Sie mit Tieren auf der Fahrbahn rechnen.

b **Ordnen Sie die Sätze den Zeichnungen zu.**

A

B

C

D

E

Zeichnung	A	B	C	D	E
Satz					

127

LEKTION 8

zu Wortschatz S. 96, Ü1

25 Werbung 💻 ÜBUNG 24, 25

🎧 **C49** **a** Hören Sie den Werbetext. Welche Computerteile werden genannt? Markieren Sie.

☐ die Lautsprecher   ☐ die Tastatur   ☐ der USB-Stick
☐ der Bildschirm   ☐ das Handy   ☐ die Maus
☐ die DVD   ☐ das Mikrofon   ☐ der Akku mit Anschluss
☐ der Touchscreen   ☐ die Kamera   für Zigarettenanzünder

b Welches Gerät wird beschrieben? Markieren Sie.

☐    ☐    ☐

🎧 **C49** **c** Lesen Sie und ergänzen Sie. Hören Sie dann und vergleichen Sie.

> ☑ bildschirm • ☐ brennen • ☐ Dateien • ☐ drehen • ☐ gelöscht • ☐ Lautsprecher •
> ☐ speichern • ☐ Kabel • ☐ nämlich • ☐ Steckdose • ☐ Tastatur • ☐ anschließen

Testen Sie unser neuartiges Modell, das quasi alle Vorteile von Laptop, Netbook, e-Book und Smartphone in sich vereint: Der neue MMM von Birne bietet Ihnen Folgendes: einen Qualitäts (1) , auf dem Sie wunderbar Fotos und Filme ansehen oder selbst bearbeiten können. Die hochwertigen (2) machen das Musikhören zu einem Klangerlebnis.
Obwohl der MMM extrem flach und leicht ist, hat er ein Laufwerk für DVDs und CDs, die Sie mit dem MMM natürlich auch selbst kopieren oder (3) können.
Das Tollste aber ist die neuartige Kamerafunktion, die es möglich macht, überall zu fotografieren und Filme zu (4) und diese per Klick gleich an Freunde und Familie zu versenden.
Sie können mehrere tausend Fotos und Lieder sowie einige Stunden Filmmaterial (5) . Am besten sortieren Sie Ihr gespeichertes Material in verschiedene (6) . Durch ausgezeichnete Filter werden Spam-Mails automatisch (7) . Sie können den MMM entweder mit Touchscreen bedienen oder auf einer extra (8) tippen. Nutzen Sie den MMM im Zug, im Café, im Park oder am Strand. Ein (9) oder eine (10) brauchen Sie für den MMM (11) nur sehr selten, der Akku hält bis zu 15 Stunden. Er lässt sich aber auch im Auto (12) und aufladen.

26 Selbst gemachte Geschenke

Haben Sie schon einmal ein Geschenk selbst gemacht oder würden es gern selbst machen? Für wen war/ wäre das Geschenk und warum? Bringen Sie ein Bild davon mit. Schreiben Sie ein paar Sätze dazu.

> „ *Auf dem Foto / ... sieht man ...*
> *... habe ich selbst gemacht /*
>   *würde ich gern einmal selbst machen ...*
> *Dazu braucht man ...*
> *Man kann ... dann zum ... benutzen oder einfach ...*
> *Geschenkt habe ich ... meiner/meinem ...*
> *Ich würde ... meiner/meinem ... schenken, weil ...* "

Diese Kette habe ich selbst gemacht. Dazu ...

—— AUSSPRACHE: *CH* (Ach-Laut), *ch* (ich-Laut) und *ch – sch* ——

1 Gedicht

a Lesen Sie das Gedicht.

Achterbahnträume

8
W8soldaten
bew8en
W8eln in Sch8eln
und l8en:
„Auf der W8,
um Mittern8,
werden Feuer entf8
und die W8eln geschl8et.
Wir haben lange genug geschm8et."

„8ung",
d8en die W8eln,
„wir öffnen mit Sp8eln
die Sch8eln,
denn der Verd8,
dass man uns hinm8,
ist angebr8",
und entflogen s8,
abends um
8.

50 b Hören Sie jetzt das Gedicht, ohne es mitzulesen. Wie oft hören Sie das Wort „acht"?
Vergleichen Sie im Kurs.

2 Ach-Laut *(CH)* und Ich-Laut *(ch)*

51 a Welchen Laut hören Sie? Markieren Sie.

	CH wie in *ach*	*ch* wie in *ich*		*CH* wie in *ach*	*ch* wie in *ich*
1	☐	☒	7	☐	☐
2	☐	☐	8	☐	☐
3	☐	☐	9	☐	☐
4	☐	☐	10	☐	☐
5	☐	☐	11	☐	☐
6	☐	☐	12	☐	☐

b Lesen Sie die Wörter jetzt laut.

1 Unterricht, 2 Fremdsprachen, 3 Zeichenkurs, 4 aussuchen, 5 Bücherei, 6 euch, 7 Lautsprecher,
8 gebraucht, 9 Fächer, 10 möchten, 11 Hochschule, 12 lustig

c Ordnen Sie die Wörter aus 2b der Tabelle zu und unterstreichen Sie die Vokale.

CH wie in *ach*	*ch* wie in *ich*
	Unterricht, …

3 *ch* und *sch*

52 Hören Sie die Wortpaare und sprechen Sie nach.

1 Kirche	Kirsche		5 selig	seelisch
2 Buch	Busch		6 wachen	waschen
3 Männchen	Menschen		7 mich	mischt
4 tauchen	tauschen		8 frech	frisch

LEKTION 8 LERNWORTSCHATZ

SEITE 87 EINSTIEG

die Kultur, -en _____   die Tradition, -en _____

SEITE 88–89 LESEN

die Erwachsenenbildung (Sg.) _____   (sich) bewegen _____

die Gesellschaft, -en _____   entdecken _____

der Hinweis, -e _____   erfahren* _____

die Kunst, ⸚e _____   pflegen _____

die Methode, -n _____   tippen _____

die Pflege (Sg.) _____   trainieren _____

die Politik (Sg.) _____   wachsen* _____

die Region, -en _____

der Schauspieler, - _____   geheim _____

die Weiterbildung, -en _____   gleichzeitig _____

das Zertifikat, -e _____   am besten _____

etwa _____

SEITE 90–91 SPRECHEN

die Betriebswirtschaft (Sg.) _____   einige _____

die Fortbildung, -en _____

ein Drittel, - _____

diskutieren _____   ein Viertel, - _____

infrage kommen* _____

SEITE 92–93 HÖREN 1

das Betreuungsangebot, -e _____   (sich) erkundigen nach (+ Dat.) _____

die Fachhochschule, -n _____   sich leisten _____

der Politiker, - _____   rechnen mit (+ Dat.) _____

die Politikerin, -nen _____

die Summe, -n _____   durchschnittlich _____

das Verständnis, -se _____   kritisch _____

das Vorbild, -er _____   menschlich _____

zweifach _____

betreuen _____

jeweils _____

SEITE 94 SCHREIBEN

die Ansicht, -en _____   die Chance, -n _____

SEITE 95 HÖREN 2

die Richtung, -en _____

(sich) drehen _____

einschalten _____

stoppen _____

teilen _____

an ... vorbei (+ Dat.) _____

außerhalb *(lokal)* (+ Gen.) _____

innerhalb *(lokal)* (+ Gen.) _____

entlang (+ Akk./ + Dat.) _____

gegenüber (+ Dat.) _____

um ... herum (+ Akk.) _____

dreimal _____

hintereinander _____

sobald _____

SEITE 96 WORTSCHATZ

der Bildschirm, -e _____

die Datei, -en _____

das Kabel, - _____

der Lautsprecher, - _____

der Monitor, -e _____

der Rechner, - _____

die Tastatur, -en _____

das Team, -s _____

(an)klicken _____

(CD) brennen* _____

anschließen* _____

aufnehmen* _____

löschen _____

speichern _____

vergrößern _____

SEITE 97 SEHEN UND HÖREN

der Ärger (Sg.) _____

die Begeisterung (Sg.) _____

die Liebe (Sg.) _____

erreichen _____

nachdenken* _____

WELCHE WÖRTER MÖCHTEN SIE NOCH LERNEN?

_____

_____

_____

_____

_____

_____

_____

_____

_____

_____

_____

_____

8

LEKTIONSTEST 8

1 Wortschatz

Ergänzen Sie *leisten, erfahren, pflegen, erkundigen, betreuen* in der richtigen Form.

1 Die Blumen meiner Mutter wachsen so gut, weil sie sie intensiv _____.
2 Gestern habe ich von Maria _____, dass ihr Sohn nun an der Fachhochschule studiert.
3 Weil ich noch kein Geld verdiene, kann ich mir kein eigenes Auto _____.
4 _____ du dich bitte, an welchen Wochentagen der Zertifikatskurs stattfindet?
5 Carola ist zweifache Mutter und _____ wochentags noch drei weitere Kleinkinder.

Je 1 Punkt   Ich habe _____ von 5 möglichen Punkten erreicht.

2 Grammatik

a Schreiben Sie wie im Beispiel: die Pflege / die Person / krank *die Pflege der kranken Person*

1 die Reparatur / der Bildschirm / kaputt _____
2 die Chancen / die Fachhochschüler / fleißig _____
3 die Hinweise / der Lehrer / freundlich _____
4 ein Drittel / die Bevölkerung / berufstätig _____

Je 1 Punkt   Ich habe _____ von 4 möglichen Punkten erreicht.

b Markieren Sie die passende Stelle für *nicht*.

1 Der Programmierer klickt ☐ die Datei ☐ an ☐.   4 Der Leiter des Teams war ☐ gestern ☐ da ☐.
2 Die Bevölkerung ist ☐ meistens ☐ kritisch ☐.   5 Er leistet ☐ sich ☐ den neuen Sportwagen ☐.
3 Die Fans haben ☐ mit einem Sieg ☐ gerechnet ☐.

Je 1 Punkt   Ich habe _____ von 5 möglichen Punkten erreicht.

c Ergänzen Sie die Präposition und den Artikel, wenn nötig.

an ... vorbei • außerhalb • gegenüber • innerhalb • um ... herum • entlang

1 Schalte mal das Radio ein! Es steht auf dem Regal _____ _____ Fenster___.
2 Am besten fahren wir zum Möbelhaus. Es liegt einige Kilometer _____ _____ Stadt___.
3 Fahren Sie immer _____ Friedensstraße _____, dann kommt an einer Ampel ein Schild.
4 Wenn ich morgens zur Arbeit fahre, komme ich _____ eur___ neuen Haus _____.
5 _____ _____ Stadtzentrum___ muss man fürs Parken überall bezahlen.
6 Tatjana joggt täglich zweimal _____ _____ kleinen See im Park _____.

Je 2 Punkte   Ich habe _____ von 12 möglichen Punkten erreicht.

3 Kommunikation

☐ kann ich verstehen, aber • ☐ kommt für mich persönlich nicht infrage • ☐ ist es für mich wichtig • ☐ was ich da sehr nützlich finde

Ergänzen Sie.

1 ● Ich muss viele neue Wörter für die Deutschprüfung lernen. Weißt du, __(1)__? Online-Übungen!
2 ■ Davon habe ich schon gehört, aber ich glaube, das __(2)__. Ich bin eher ein traditioneller Lerner und brauche ein Buch, Stifte und einen Lehrer.
3 ♦ Wenn ich etwas Neues lernen will, __(3)__, dass ich es lese, schreibe, höre und spreche.
4 ● Dass du gern einen Lehrer hast, der dich verbessert, __(4)__ leider können sich viele Leute teure Kurse oder Privatlehrer nicht leisten.

Je 1 Punkt   Ich habe _____ von 4 möglichen Punkten erreicht.

Auswertung: Vergleichen Sie Ihre Lösungen mit S. 135.
Ihre Erfolgspunkte tragen Sie unter jeder Aufgabe ein.

☺	☺	☹
30–26	25–15	14–0

Ich habe _____ von 30 möglichen Punkten erreicht.

LÖSUNGEN DER LEKTIONSTESTS

LEKTION 1

1 Wortschatz

1 Netzwerk; 2 Original; 3 Ergebnis;
4 Lieblingskursleiterin; 5 Geschichte;
6 Wörterbuch; 7 Aussprachetraining; 8 Liste

2 Grammatik

a 1 selten; 2 nie; 3 immer; 4 manchmal
b 1 interessanten, schönen, ruhigen; 2 alte; 3 neuen;
4 schwierigen; 5 deutsche; 6 attraktive, richtige;
7 Erfahrener, kommunikativen, moderner;
8 wichtigen; 9 beruflichen

3 Kommunikation

1 Also, ich brauche Deutsch für meinen Beruf.
2 Ich arbeite zurzeit in einem Hotel und habe viel
mit deutschen Gästen zu tun.
3 Für mich sind also Hören und Sprechen am
wichtigsten.
4 Aber ich muss natürlich auch viel schriftlich
kommunizieren.

LEKTION 2

1 Wortschatz

a 1 verabschieden; 2 zusammenstellen;
3 öffnen; 4 besorgen; 5 anbieten; 6 verschicken
b 1 Feier; 2 Einladung; 3 Geschenk;
4 Atmosphäre; 5 Essen

2 Grammatik

a 1 eigentlich; 2 doch; 3 denn, mal;
4 ja, doch; 5 doch, mal
b 1 über die; 2 für das; 3 um deine;
4 nach meinen; 5 an diesem

3 Kommunikation

(Mögliche Lösungen:)
1 Frau Winter, könnten Sie bitte das Essen
besorgen?
2 Paul, wäre es möglich, dass du die Getränke
organisierst?
3 Julia, würdest du bitte die Musik für den Abend
zusammenstellen?
4 Kurt, könntest du bitte die Musikanlage in die
Ecke schieben?
5 Herr Meier, wäre es möglich, dass Sie die Gäste
begrüßen?
6 Eva, würdest du bitte den Partyraum
aufräumen?

LEKTION 3

1 Wortschatz

1 sparsam; 2 Passagiere; 3 entfernt;
4 geplant; 5 Lage, Aussicht

2 Grammatik

a 1 Vermutlich arbeitet er als Forscher in der
Antarktis. / Vermutlich wird er als Forscher in
der Antarktis arbeiten.
2 Sicher machen sie eine Weltreise. / Sicher
werden sie eine Weltreise machen.
3 Wahrscheinlich reiten wir mit Kamelen durch
die Wüste. / Wahrscheinlich werden wir mit
Kamelen durch die Wüste reiten.
b 1 Der Flug mit dem Ballon war etwas, was ich
nie vergessen werde.
2 Das Ticket, mit dem ich gefahren bin, habe ich
online gebucht.
3 Das war das Schönste, was ich je erlebt habe.

4 Die Frau, deren Reiseberichte so viel Erfolg
haben, hat ein spannendes Leben.
5 Er hat lange als Forscher in der Antarktis
gelebt, was eine wichtige Erfahrung für ihn war.
6 Hat alles funktioniert, was du vorbereitet hast?
c 1 Das Hotel, in dem meine Freundin schon
übernachtet hat, kann ich nur empfehlen.
2 Das war ein Erlebnis, das ich nie vergessen
werde!
3 Ich fliege mit meinen Freund Jan, dem ich das
Flugticket geschenkt habe, nach Florida.
4 Isabel hat mir eine SMS aus Spanien
geschrieben, wo sie gerade Urlaub macht.
5 Das war eine schöne Reise, an die ich mich gern
erinnere.

3 Kommunikation

1 eigentlich; 2 wäre, Klingt; 3 Würdest, recht

LEKTION 4

1 Wortschatz

1 Traumhaus; 2 Hochbett; 3 Bücherregal;
4 Liegestuhl; 5 Dachterrasse; 6 Badewanne

2 Grammatik

a 1 Sarah braucht den Briefkasten nur am
Wochenende zu leeren.
2 Sie braucht keine Rechnungen zu bezahlen.
3 Die Pflanzen braucht sie nur 1x pro Woche zu
gießen.
4 Aber die Kakteen braucht sie überhaupt nicht
zu gießen.

b 1 Schon seit Jahren ist Julia Mitglied bei der
Agentur „tauschdichweg".
2 Auch dieses Jahr macht sie Wohnungstausch
und tauscht ihre Wohnung mit Sofia in
Griechenland.
3 Weil sie für die Unterkunft nichts zahlen muss,
spart sie dabei viel Geld.
4 Eine E-Mail hat sie Sofia schon geschrieben.
Gern würde sie ihren Freund mitnehmen.
c 1 vor; 2 während; 3 innerhalb; 4 in, Von; 5 an;
6 gegen; 7 von, bis, außerhalb

3 Kommunikation

1 kommt; 2 wünschen; 3 wäre; 4 mögen; 5 leiden

LÖSUNGEN DER LEKTIONSTESTS

1 **Wortschatz**

   1 beworben; 2 verwenden; 3 einstellen;
   4 aufgeregt; 5 Verantwortung; 6 Werk

2 **Grammatik**

   a 1 würde ... gründen; 2 müsste; 3 würde ...
   einstellen; 4 wären; 5 kämen; 6 hätte

   b 1 Wären meine Eltern schon in Rente, würden sie
   sich ein neues Hobby suchen.
   2 Könnte ich nähen, würde ich mir schöne Stoffe
   kaufen.
   3 Würden die Mitarbeiter streiken, hätten sie
   eine Chance auf mehr Gehalt.
   4 Müsste man zwei Jobs machen, wäre das sehr
   anstrengend.

   c 1 um ... zu; Um ... zu; 2 damit, –; 3 Zum, –;
   4 zum, –

3 **Kommunikation**

   1 Für diesen Beruf braucht man vor allem Spaß
   am Verkauf.
   2 Zu einem Ortswechsel wäre ich jederzeit
   bereit.
   3 Ein hohes Einkommen wäre für mich nicht so
   wichtig.
   4 Aus folgenden Gründen halte ich mich für die
   Stelle geeignet.
   5 Außerdem hätte ich die Möglichkeit, Karriere
   zu machen.

1 **Wortschatz**

   1 umtauschen; 2 Mitglieder; 3 geplant;
   4 aktuelle; 5 darstellt

2 **Grammatik**

   a 1 Er will Musiker werden, obwohl er nicht
   musikalisch ist.
   2 Das Wetter ist so schön. Deshalb gehe ich aufs
   Open-Air.
   3 Paul besucht mich im Mai, weil wir gemeinsam
   auf „Rock am Ring" gehen möchten. / Paul
   besucht mich im Mai, denn wir möchten
   gemeinsam auf „Rock am Ring" gehen.
   4 Er ist ein berühmter Sänger. Trotzdem muss er
   jeden Tag üben.

   5 Das Konzert war nicht schlecht, obwohl die
   Show schrecklich war. / Das Konzert war nicht
   schlecht, aber die Show war schrecklich.
   6 Anna will Musik studieren, denn sie will
   Dirigentin werden. / Anna will Musik studieren,
   weil sie Dirigentin werden will.
   7 Ich höre nie klassische Musik. Trotzdem bin
   ich gestern in ein Bach-Konzert gegangen. /
   Ich höre nie klassische Musik. Aber gestern bin
   ich in ein Bach-Konzert gegangen.

   b 1 überall, nirgends; 2 niemandem;
   3 etwas, nichts; 4 nicht

3 **Kommunikation**

   1 passt; 2 mag; 3 aufmerksam gemacht;
   4 hältst; 5 schlage vor

1 **Wortschatz**

   1 Anleitung; 2 Postkarte; 3 ein Geschenk;
   4 überziehen; 5 in der Industrie; 6 finanziell

2 **Grammatik**

   a 1 die Industrie; 2 die Entscheidung;
   3 der Händler; 4 die Packung; 5 der Sportler;
   6 der Student; 7 die Sicherheit; 8 die Elektronik;
   9 das Praktikum

   b 1 wird ... von ... gespielt; 2 wird ... vorgestellt;
   3 werden ... gezeigt; 4 werden ... vorgelesen;
   5 benutzt ... werden; 6 wird vom ... befragt;
   7 angerufen werden

3 **Kommunikation**

   1 ein toller Markt; 2 Dürfte ich; 3 finde ja;
   4 würden Sie denn; 5 Sagen wir; 6 rausgeben;
   7 einen guten Kauf

1 **Wortschatz**

   1 pflegt; 2 erfahren; 3 leisten;
   4 Erkundigst; 5 betreut

2 **Grammatik**

   a 1 die Reparatur des kaputten Bildschirms;
   2 die Chancen der fleißigen Fachhochschüler;
   3 die Hinweise des freundlichen Lehrers;
   4 ein Drittel der berufstätigen Bevölkerung

   b 1 Der Programmierer klickt die Datei nicht an.
   2 Die Bevölkerung ist meistens nicht kritisch.
   3 Die Fans haben nicht mit einem Sieg gerechnet.
   4 Der Leiter des Teams war gestern nicht da.
   5 Er leistet sich den neuen Sportwagen nicht.

   c 1 gegenüber dem Fenster; 2 außerhalb der Stadt;
   3 die ... entlang; 4 an eurem ... vorbei;
   5 Innerhalb des Stadtzentrums;
   6 um den ... herum

3 **Kommunikation**

   1 was ich da sehr nützlich finde;
   2 kommt für mich persönlich nicht infrage;
   3 ist es für mich wichtig;
   4 kann ich verstehen, aber;

Lösung Sprachenquiz, Seite 11:

1 Hochchinesisch.　**2** Mehr als 6000.　**3** Papua-Neuguinea.　**4** 23　**5** 56 %
6 Von den Brüdern Grimm.　**7** 6000 bis 10 000.　**8** Wilhelm von Humboldt.

Quellenverzeichnis

Cover © Whisson/Jordan/Corbis

S. 9　© iStockphoto.com/mammamaart
S. 10　© ddp images
S. 11　© www.stern.de
S. 13　© PantherMedia (2); © iStockphoto.com/dejanristovski;
　　　© fotolia/ScottGriessel
S. 16　© fotolia/travis manley
S. 21　© PantherMedia (4)
S. 24　© iStockphoto.com/anouchka
S. 27　© fotolia/alephnull; © fotolia/Kzenon;
　　　© fotolia/omicron
S. 28　groß: © PantherMedia
　　　klein: Carmen, Leonie, Bärbel © PantherMedia;
　　　Michael © iStockphoto.com/Juanmonino;
　　　Lukas © fotolia/Kirill Kedrinski; Lynn © iStockphoto.
　　　com/LeoGrand; Heinz © fotolia/Csák István;
　　　Michael © fotolia/Thomas Pyttel
S. 29　Handy © fotolia/Timo Darco
S. 30　von oben © dpa Picture Alliance; © bildstelle
S. 32　von oben © fotolia/Alta.C; © iStockphoto.com/
　　　shironosov
S. 33　„Es grünt so grün wenn Spaniens Blüten blühen"
　　　(„Rain in Spain")
　　　Musik & Text: Lerner, Alan Jay / Loewe Frederick
　　　Dt. Text: Robert Gilbert
　　　© by Chappell & Co., Inc.
　　　Subpublished by Chappell & Co. GmbH & Co. KG;
　　　„Gudruns Truthuhn" aus Bernd Brucker,
　　　Zwölf zünftige Zipfelmützen-Zwerge
　　　© gondolino GmbH, Bindlach 2005
S. 38　von oben © iStockphoto.com/aprott;
　　　© www.wienerlinien.at; © ddpimages;
　　　© Deutsche Bahn AG
S. 45　Handy © fotolia/Timo Darco
S. 48　© fotolia/yellowj
S. 58　© fotolia/Robbin Böhm; © PantherMedia (3)
S. 63　© iStockphoto.com/Juanmonino
S. 64　© fotolia/emer
S. 71　links © PantherMedia; rechts © fotolia/Uwe Annas
S. 72　© fotolia/Andrey Arkusha
S. 73　© fotolia/contrastwerkstatt
S. 74　© Movienet Film
S. 77　© fotolia/Jeanne Hatch

S. 79　© fotolia/Christian Stoll
S. 80　Text © 2010, IW Medien · iwd 22; © fotolia/Radu Razvan
S. 87　© dpa picture-alliance/Franz-Peter Tschauner
S. 88　© Hermann und Clärchen Baus
S. 89　von oben © Rock im Park; © Johannes Dietschi,
　　　Zürcher Hochschule der Künste
S. 90　© iStockphoto.com/Omega TransFer
S. 92　Handy © fotolia/Timo Darco
S. 95　© imago/star-media; © ddp images/Torsten Silz
S. 96　© imago-sportfoto.de
S. 101　A und B © PantherMedia; C © fotolia/Elena Schweit-
　　　zer; D © fotolia/Hubertus Blume
S. 102　Die verbotene Insel © Schmidt Spiele
S. 103　© Hueber Verlag/Isabel Krämer-Kienle (8)
S. 105　© fotolia/Sokolovsky; © iStockphoto.com/andrearoad,
　　　© iStockphoto.com/Rapid Eye
S. 106　Schreibmaschine © fotolia/Mary Hommel; Kameras
　　　© fotolia/PinkShot
S. 109　© corazón international GmbH & Co. KG –
　　　www.corazon-int.de
S. 111　Wörterbuchauszug aus Wörterbuch Deutsch als
　　　Fremdsprache. Das einsprachige Wörterbuch für
　　　Kurse der Grund- und Mittelstufe © Hueber Verlag,
　　　Dudenverlag, 2007
S. 112　oben von links © dpa Picture-Alliance/Tobias Hase;
　　　Collage © SZ-Grafik, Foto S. Bigalke, Süddeutsche
　　　Zeitung vom 28. 05. 2011; unten © PantherMedia
S. 119　© iStockphoto/imetlion
S. 120　© Hueber Verlag/Kiermeir; Wörterbuchauszüge aus
　　　Wörterbuch Deutsch als Fremdsprache. Das einspra-
　　　chige Wörterbuch für Kurse der Grund- und Mittel-
　　　stufe © Hueber Verlag, Dudenverlag, 2007
S. 128　© Kornelia Saft
S. 129　Text: Achterbahnträume aus Hans Manz, Die Welt
　　　der Wörter © 1991 Beltz & Gelberg in der Verlagsgruppe
　　　Beltz, Weinheim/Basel

Zeichnungen: Jörg Saupe, Düsseldorf

CD:

Track 21: Interview mit Thomas Bauer: Erol Gurian, München
Track 50: Achterbahnträume aus Hans Manz, Die Welt der
　　　　Wörter © 1991 Beltz & Gelberg in der Verlagsgruppe
　　　　Beltz, Weinheim/Basel